JN095966

子どもと作る
科学工作

宙に浮くディスプレイスタンド、100均材料で作るバスボム、ステンドグラス風オブジェ……

雲のようなふわもこスライム

色が変わる紫キャベツの検査液

CDで作るホバークラフト

はじめに

みなさんこんにちは！　ささぼうです！
僕はYouTubeで「科学工作」を発信しています。

「科学工作って普通の工作と何が違うの？」

そんな声が聞こえてきそうですね。でも、そんなに大きな違いはありませんよ。
出来上がったものの中に、「なんでだろう？」の種を少しだけ入れているのが科学工作です。
「おもちゃが動くのはなんでだろう？」「この模様ができるのはなんでだろう？」「なんでこんな風になるのだろう？」
作ってみたら、「なるほど！」。
僕は、そんな工作は、すべて科学工作だと思います。

＊

この本で紹介しているものは、身近な材料で作ることができるものばかりです。
作って、遊んで、楽しんで！　そして、少しだけ考えてください。

分からないこと、難しいところは、大人の人に手伝ってもらってもいいですよ！
ケガには充分注意しながら、ぜひ親子で科学に親しんでくださいね。

それでは、ワクワクの科学工作の世界へ、レッツゴー！

ささぼう

子どもと作る
科学工作

宙に浮くディスプレイスタンド、
100均材料で作るバスボム、
ステンドグラス風オブジェ……

もくじ

もくじ

100均材料を使ったバスボム

第5章　100均材料を使ったバスボムの作り方

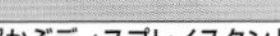

浮かぶディスプレイスタンド

第6章　宙に浮かぶ！？ディスプレイスタンド

CDをリサイクル

第7章　CDをホバークラフトにリサイクル

もこもこスライム

第8章　シェービングフォームで作る「もこもこスライム」

もくじ

ペットボトルの中で泳ぐタコ

第9章　ペットボトルの中で泳ぐタコを作る

水中シャボン玉

第10章　水を使った不思議な実験

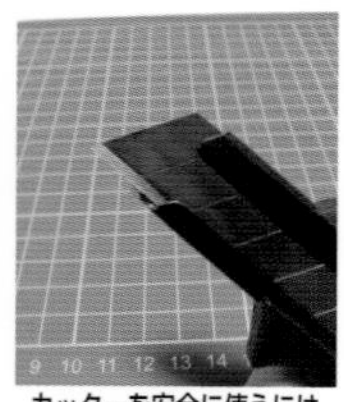

カッターを安全に使うには

ふろく　カッターを安全に使う5つのポイント

●各製品名は、一般的に各社の登録商標または商標ですが、Ⓡおよび TM は省略しています。
●本書に掲載しているサービスやアプリの情報は執筆時点のものです。今後、価格や利用の可否が変更される可能性もあります。

第1章

偏光フィルムでステンドグラス風工作

「偏光(へんこう)フィルム」を上手く利用することで、色が変わる不思議なステンドグラス風オブジェを作ることができます。

筆　者	ささぼう
記事URL	https://kagacraft.com/polarizing/#toc5
記事名	まるでステンドグラス！ 夏休みにぴったりな偏光フィルムのキラキラ工作

1-1 色が変わるステンドグラス風工作

自由研究のテーマは何にしましょう？

決まっていないなら、こちらはどうでしょうか。

ステンドグラス風オブジェ

ステンドグラスのような美しさですね。

これは2個の紙コップに、透明な「蝶(ちょう)」を挟んで作ります。

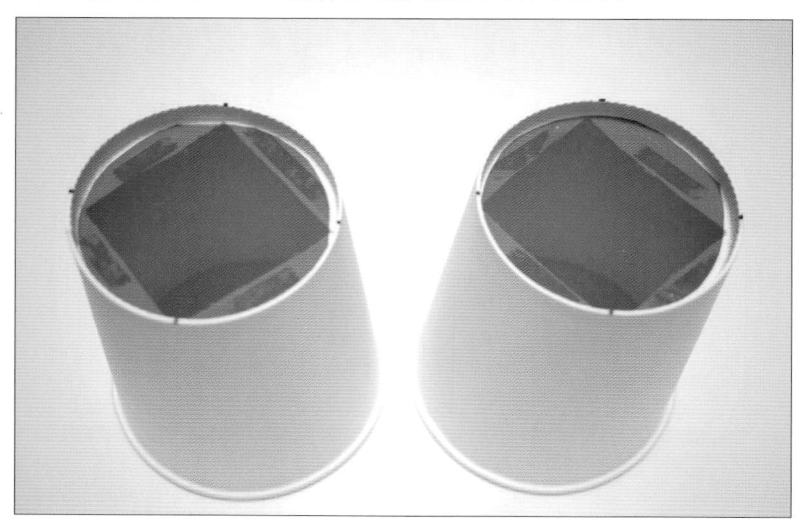

特殊なフィルムを貼った2つの紙コップ

透明(とうめい)なフィルムで作った「蝶」を・・・・・

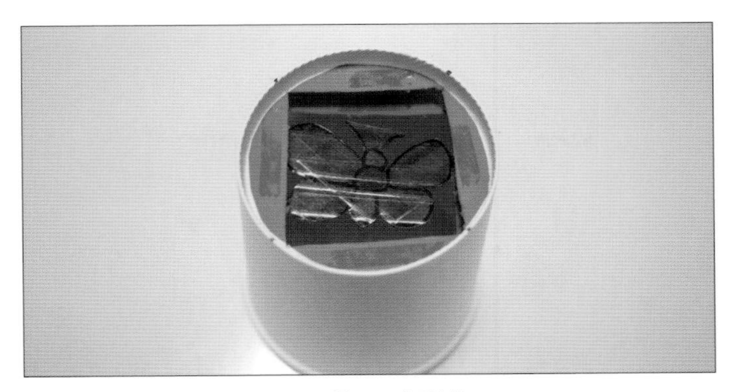

2つの紙コップで挟む

この紙コップの広いほうから覗(のぞ)いて片方のコップを回すと、蝶がさまざまな色に変わるのです。

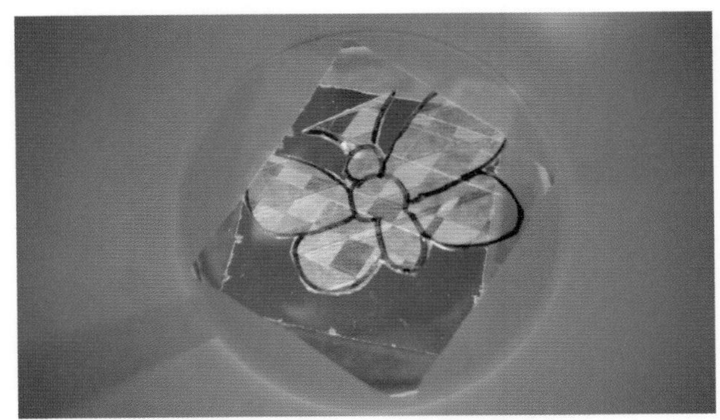

紙コップを回すと蝶の色が変わる

蝶に色を塗（ぬ）ったりはしません。
秘密（ひみつ）は紙コップに貼っている「黒い板」にあります。
その板とは「**偏光（へんこう）フィルム**」です。

偏光フィルム

偏光フィルムについては後ほど説明するので、まずは工作をしていきましょう！

1-2 材　料

材料は次のとおりです。

偏光フィルム	今回は7cm × 7cmに切って使いました。
プラ板	無色透明(とうめい)なものがいいです。
紙コップ	430mLのものを使いましたが、何でもOKです。
セロハンテープ	OPPテープも使えます。

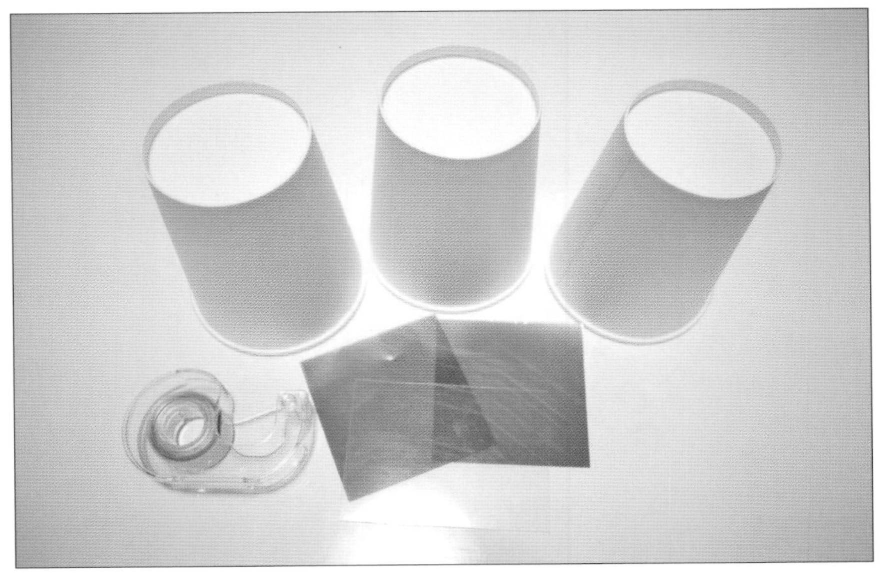

今回使う材料

偏光フィルムは、なかなか売っていないので通販(つうはん)がいいと思います。

1-3
作り方

偏光フィルムを貼る

まずは紙コップの底と同じ形になるように、偏光(へんこう)フィルムをカットしましょう。

紙コップを１つ分解して、底と同じ形の型紙(かたがみ)を作ります。

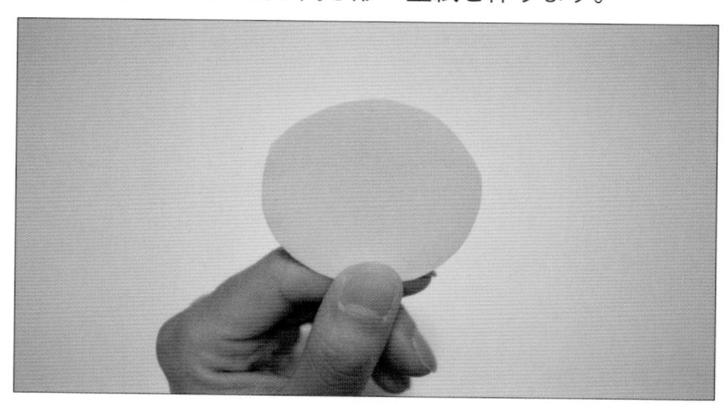

紙コップの底から型紙を作る

この型紙に合わせて、偏光フィルムをカットしましょう。

型紙を使って偏光フィルムを切り抜く

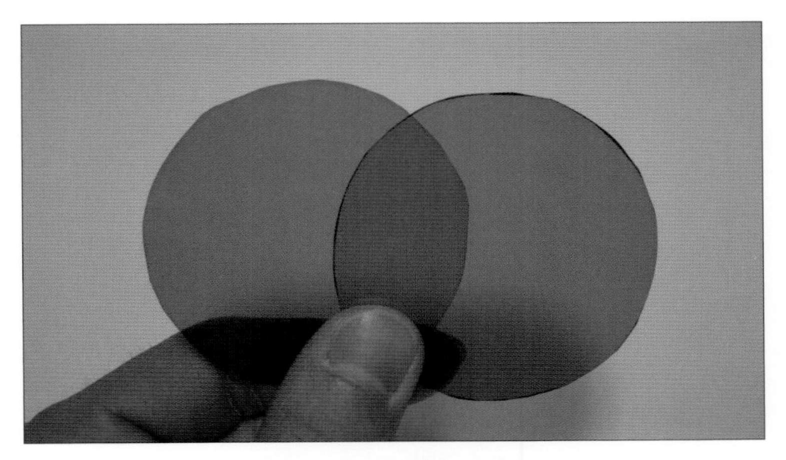

偏光フィルムは2枚カットする

これを貼(は)る紙コップに、窓(まど)をあけましょう。
紙コップの底のふちに、印を4か所付けます。

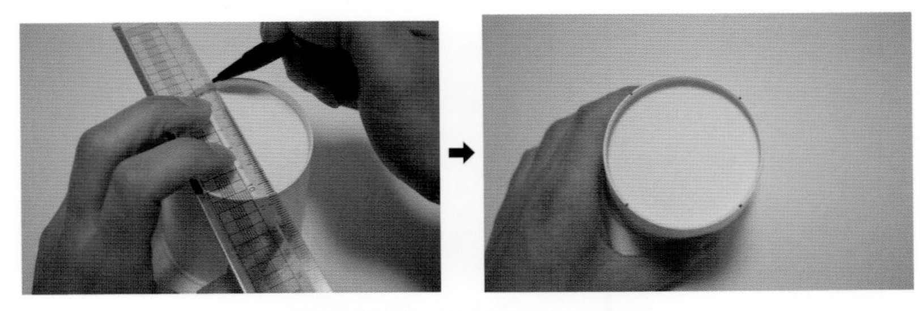

定規などを使って四角形に印をつける

これを目印にしながら、カッターナイフで切っていきます。
(もし不安がある場合は、お父さんかお母さんが手伝ってあげてください)

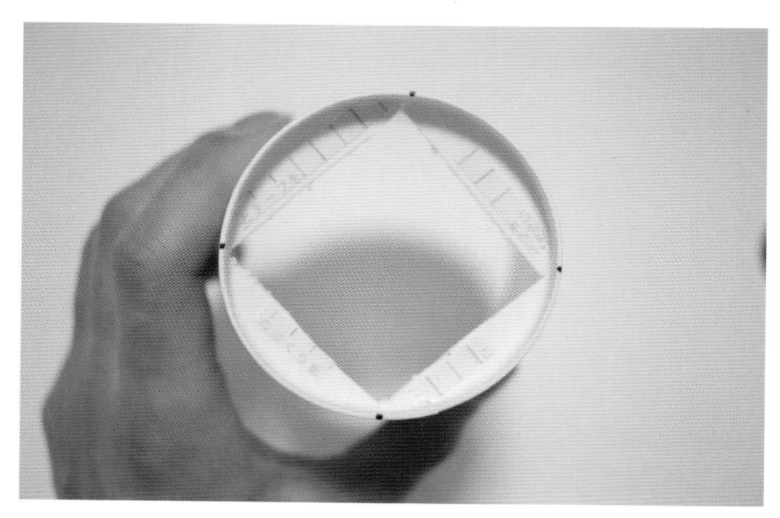

紙コップの底面を四角く切り抜く

この窓の余白部分に両面テープを貼り、偏光フィルムをくっつけます。

偏光フィルムを張り付けた様子

このとき、**偏光フィルムの保護シートを取り忘れないように注意**してください。

保護シートは、はがしておく

これで紙コップの加工は完成です。

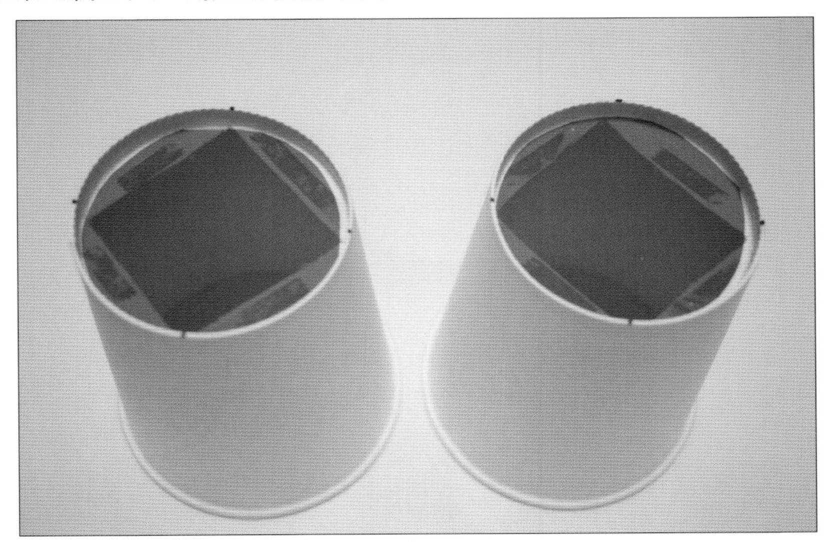

紙コップ側(がわ)が完成した

蝶のオブジェを作る

次は偏光フィルムに挟む蝶を作ります。
今回は蝶にしましたが、好きな形でOKです。

＊

まずはプラ板に下絵を描きます。
このとき、色は塗りつぶさないようにしてください。
また、大きすぎると紙コップに入らなくなってしまうので気を付けましょう。

プラ板に下絵を描く

このプラ板に、セロハンテープを貼っていきます。
ルールはありません！　いろいろな向きにたくさん貼ってください。

気を付けることと言えば、なるべく**指紋をセロハンテープに付けないようにする**ことです。

プラバンにセロハンテープを貼る

横向き、縦向き、斜め向きにたくさん貼りましたね。
これを絵のとおりに切ります。

組み立て

最後はとても簡単で2つの紙コップの間に、蝶を挟むだけで完成です。

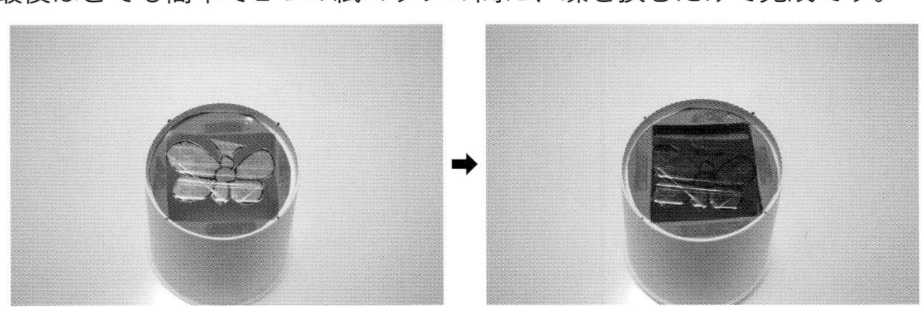

紙コップの間に蝶のプラ板を挟む

挟んだ瞬間に蝶に色が付きましたね！

1-4
なぜこうなるのか？

光には波のような性質がありますが、家庭の電球や自然の光には「さまざまな向きの光」が入っています。

そして偏光フィルムには、「ある特定の向きの光のみを通す」という性質があるのです。

少し難（むずか）しいのでざっくり言うと、２枚の偏光フィルムを重ねると、合わせる向きによって光の通り方が変わります。

２枚重ねにした偏光フィルムを光にかざす

この状態で手前の偏光フィルムを 90° 回すと……、

偏光フィルムの色が黒になった

90°回したほうの写真は、「2枚のフィルム両方を通れる向きの光がほとんどない」という状況です。

この2枚の間に、光を屈折(くっせつ)させるセロハンテープやプラ板のようなものを挟(はさ)むと、**通れていた光が通れなくなったり**、逆(ぎゃく)に**通れないはずの光が通れるようになったり**します。

それを私たちが見ると、色が変わって見えるのです。

＊

偏光フィルムは、液晶(えきしょう)モニタに使われている素材です。

ほかにも、サングラスや車の窓(まど)などにも使われています。

工作だけではなく、身近なところで使われている例を調べてまとめると、自由研究としても立派なものになると思います。ぜひやってみてください。

ただし、一つだけ注意してほしいことがあります。

太陽(たいよう)は絶対に見ないでください!

いくら通る光の量を小さくできると言っても、太陽は別格です。

目を傷(いた)める危険があるので、その点には注意してください。

第2章

個性的な模様の万華鏡を作る

筒に入れるものを変えるだけでいろいろな模様が楽しめる万華鏡ですが、鏡の形や合わせ方を変えることでも、模様にヴァリエーションを出すことができます。

筆　者	ささぼう
記事URL	https://kagacraft.com/mirrorsystem/
記事名	個性的な万華鏡の作り方って？鏡の形を工夫しよう！

2-1 万華鏡はありきたり？

夏休みや冬休みの工作で、「**万華鏡**(まんげきょう)」を作るお子さんも多いのではないでしょうか？

科学館にも、休み前の時期になると工作や自由研究の相談が来るのですが、やはり万華鏡は人気がある工作です。

ただ、どの万華鏡も同じようなものになってしまい、「なかなか個性がだせないな」と思いませんか？

僕も工作教室の題材でよく万華鏡を企画していたのですが、マンネリ化というか、いつも同じようなものになってしまい、つまらないな～と思っていました。

変わった材料で模様を付けるというのも１つの手段です。

しかし、「鏡の形」や「鏡の合わせ方」を工夫するだけで個性を出す方法もあります。

本章では、そんな方法を紹介します。

鏡は万華鏡用のプラスチックミラーを使いました。

ミラーシート 裏面紙タイプ(美術出版サービスセンター)

2-2 比較対象

これから4種類の鏡の合わせ方を紹介(しょうかい)します。

分かりやすいように、この造花を覗(のぞ)いたときの画像で比較します。

この造花を覗いてみる

2-3
3枚の鏡を合わせる

よく作られる万華鏡(まんげきょう)は、3枚の鏡が向かい合わせになっています。

このような鏡の合わせ方を、「**3ミラーシステム**」といいます。

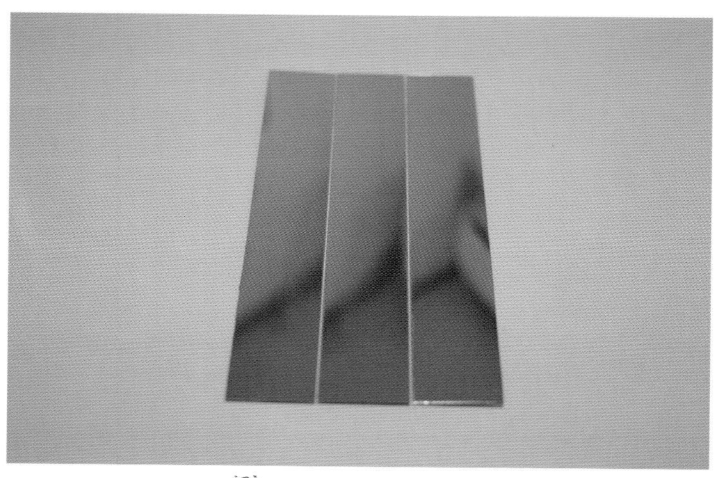

普通(ふつう)の万華鏡。3枚の鏡を使う

三角形になるように鏡を貼(は)り合わせる(3ミラーシステム)

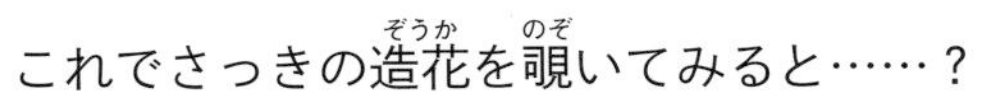
これでさっきの造花(ぞうか)を覗(のぞ)いてみると……？

3ミラーシステムの万華鏡を覗いてみた様子

真ん中の黄色い線で囲われた内側の部分が、実際に鏡の筒（つつ）を通して見ている造花です。

三角形がたくさん広がっていますね。
これはこれで綺麗なのですが、一般的な万華鏡です。

模様（もよう）を付ける部分がどんなものでも、目の前の景色（けしき）いっぱいに万華鏡の世界を広げてくれます。

2-4 2枚の鏡と1枚の板を合わせる

ここからが個性を出せる万華鏡（まんげきょう）の作り方です。

2枚の鏡の間に、黒い板を挟（はさ）みます。
これは「**2ミラーシステム**」と言います。

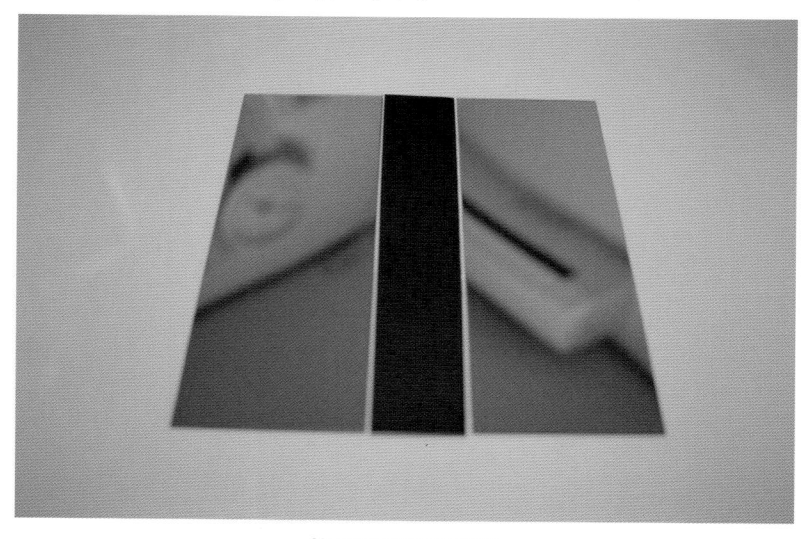

鏡の間に黒い板を挟む

横から見て、二等辺三角形（にとうへんさんかっけい）になるようにするのがポイントです。

三角形になるように貼（は）り合わせる

板の色は黒でなくてもいいのですが、個人的には黒がお勧（すす）めです。
その理由は覗（のぞ）いたときに分かります。

２ミラーシステムの万華鏡を覗いてみた様子(ようす)

真ん中の黄色い線で囲われている部分が、実際に鏡の筒(つつ)を通して見ている造花(ぞうか)です。

黒い板だと、模様と周りのコントラストがはっきりしていてきれいになります。

ピザやホールケーキのような1つの円形の模様(もよう)が、中心に現(あら)われます。

2-5 台形の鏡を3枚合わせる

「テーパードミラーシステム」と言います。

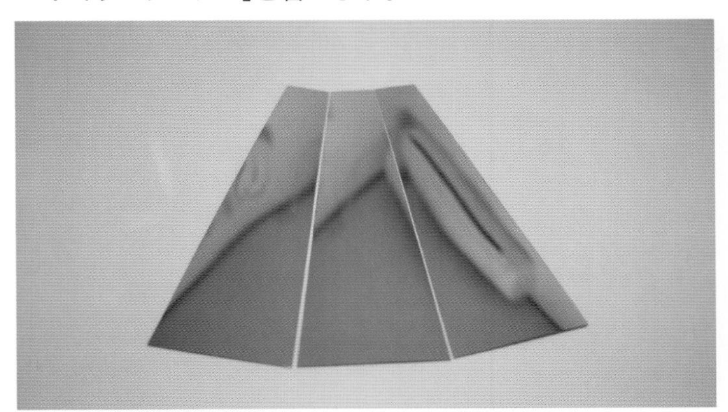

台形(だいけい)の鏡を3枚用意する

普通(ふつう)の万華鏡と同じように貼(は)り合わせる

鏡が広くなっているほうから覗(のぞ)きます。すると……、

テーパードミラーシステムの万華鏡(まんげきょう)を覗いてみた様子

真ん中の黄色い線で囲われている部分が、実際に鏡の筒(つつ)を通して見ている造花(ぞうか)です。

花束みたいな模様になります。きれいですね。
ちなみに僕はこの形がいちばん好きです。

テーパードミラーシステムでは、目の前の景色(けしき)の中心に球形(きゅうけい)の模様(もよう)が映(うつ)し出されます。
2ミラーシステムよりも立体的に見えるのが特徴(とくちょう)です。

*

工作としては、鏡の加工(かこう)が少し難(むずか)しいのが欠点かもしれません。

また、鏡を斜(なな)めにカットするので、どうしても中途半端(ちゅうとはんぱ)な大きさや形の切(き)れ端(はし)が出てしまいます。
ちょっと贅沢(ぜいたく)な鏡の使い方です。

2-6 4枚の鏡を合わせる

そのまま、「4ミラーシステム」と言います。

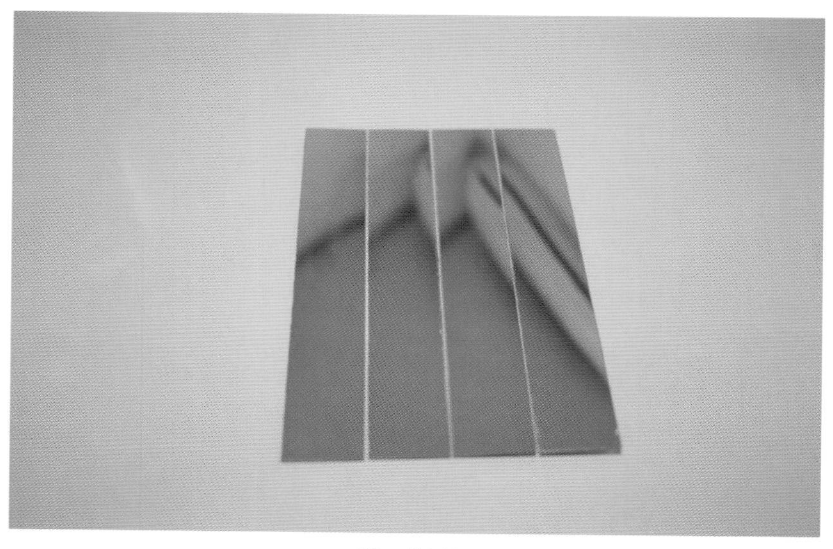

4枚の鏡を使う

四角形になるように貼(は)り合わせる

覗(のぞ)いてみると……、

4ミラーシステムの万華鏡(まんげきょう)を覗いてみた様子(ようす)

真ん中の黄色い線で囲われている部分が、実際に鏡の筒(つつ)を通して見ている造花(ぞうか)です。

「3ミラーシステム」との違いは、四角形の模様(もよう)が目の前の景色(けしき)いっぱいに広がることです。

3ミラーシステムと4ミラーシステムのどちらがいいかは、正直なところ、好みかなと思います。

良い点は、同じサイズの万華鏡同士(どうし)で比(くら)べると、4ミラーシステムのほうが模様を取り込める面積が広いことです。

よって、あまり細かくないもので模様を付ける際にはいいと思います。

欠点は、4ミラーは外側に何かカバーがないと、すぐに潰(つぶ)れてしまうことです。

*

万華鏡はきれいなだけではなくて、鏡の性質を学べる工作です。

いくつかの鏡の組み合わせ方を紹介しましたが、自分でオリジナルのミラーシステムを考えてみても面白いでしょう。

本章で紹介したミラーシステムの中で僕の一推(いちお)しは、さきほど書いたとおり「テーパードミラーシステム」です。

これと「ビー玉万華鏡」を組み合わせると、とてもきれいな万華鏡になります。

第3章
アクリル板で簡単イルミネーション

光が透明(とうめい)なものの中を進(すす)むときの性質を利用して、100均のＬＥＤ(エルイーディー)スタンドをオシャレなイルミネーションに変身させてみましょう。

筆　者	ささぼう
記事URL	https://kagacraft.com/illumination/#toc5
記事名	【アクリル板工作】ダイソー商品で、簡単イルミネーション！

3-1 絵とフチが光るアクリル板

本章の工作は、変わったイルミネーションを作りたい方にお勧めです。

それが、こちら！

アクリル板イルミネーション

アクリル板とLEDスタンドで作った、簡単(かんたん)イルミネーションです。

絵とフチだけが光っている、オシャレな工作です。

僕が使ったＬＥＤ（エルイーディー）スタンドは、３色（赤・緑・青）の光を順番に発します。
なので、さまざまな色のイルミネーションを楽しむことができます。
夏休みや、冬休みの自由研究にもいいかもしれません。

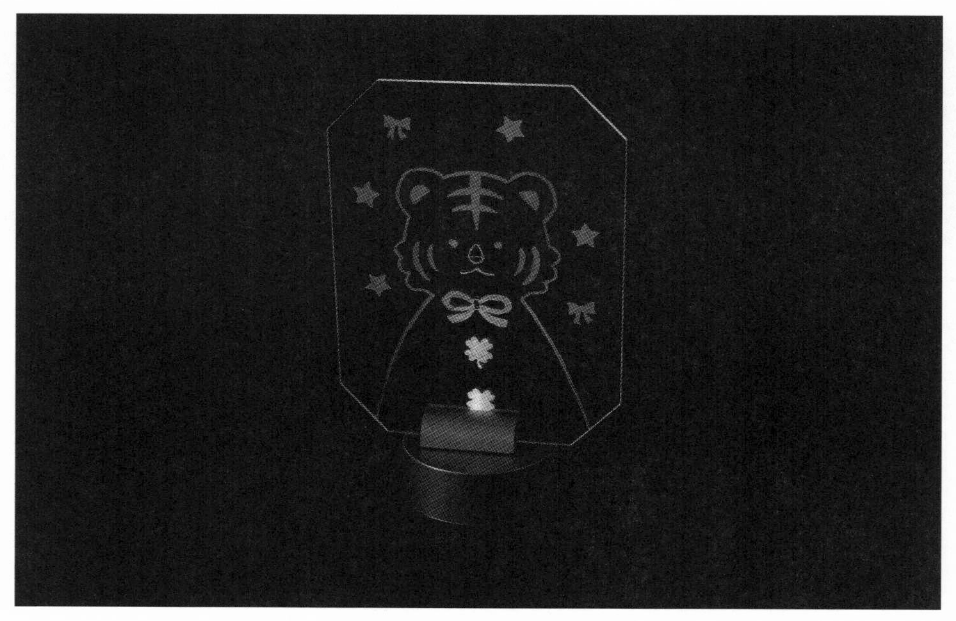

さまざまな色のイルミネーションが可能

＊

さっそく材料の紹介からしていきましょう。

3-2 材　料

使う材料は以下の通りです。

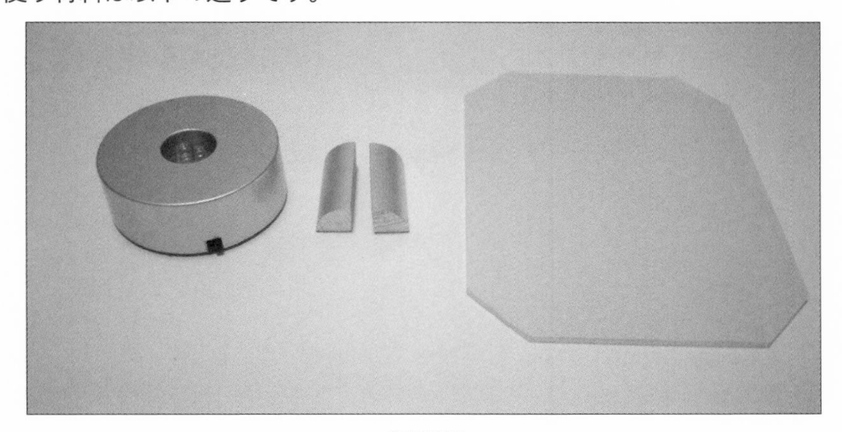

使う材料

LEDライトスタンド

3色のLED(エルイーディー)ライトが埋(う)め込(こ)まれているスタンドです。

LEDライトスタンド

アクリル板

13cm × 18cmのものを使いました。
厚さは3mmです。

僕はもっていた材料を使いましたが、どのサイズを使ってもOKです。
むしろ、大きすぎると作るのが大変なので注意しましょう。
ホームセンターで購入(こうにゅう)してください。

僕はカドが尖(とが)っていると嫌(いや)なので、多めに落としてしまいまいましたが、ヤスリで丸くする程度でもいいと思います。

また、使うときは保護(ほご)フィルムを剥(は)がしてから使いましょう。

アクリル板

支えのパーツ

最終的にアクリル板を挟(はさ)んで固定するためのパーツです。
僕は扇形の木を切って、スタンドの色に合わせて着色しました。

ホームセンターに売っているL字アングルでも、まったく問題ありません。

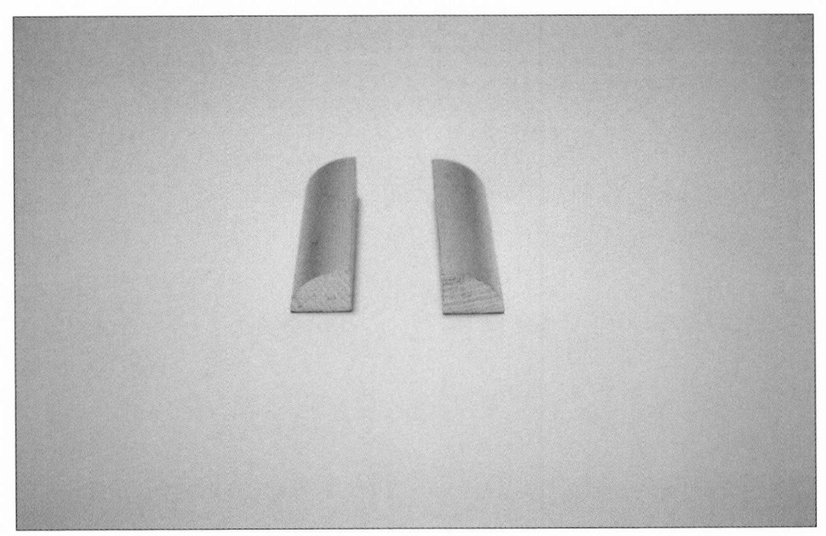

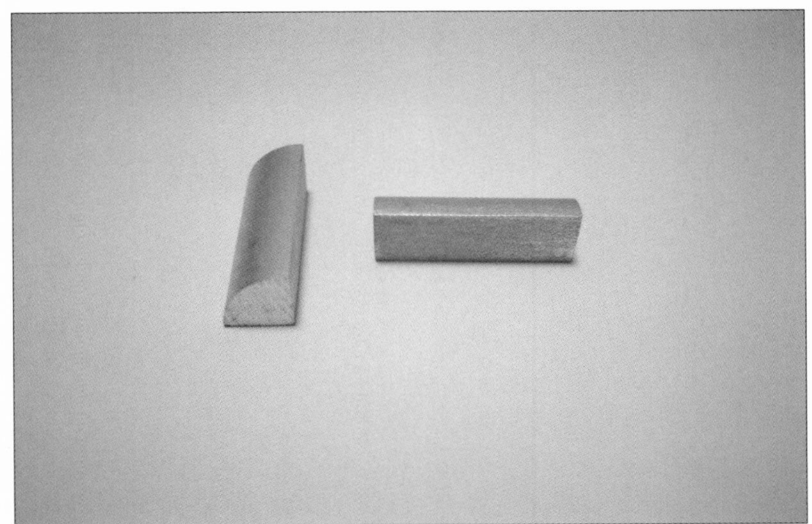

支えのパーツ

＊

基本的にはこの３つだけあればOKです。

3-3 使う道具

「**ミニルータ**」という道具を使います。

ただ、「工具を子どもに使わせるのはちょっと不安」という保護者の方や、「そもそももっていない」という方が多いでしょう。

僕のお勧(すす)めは、ダイソーのミニルータです。

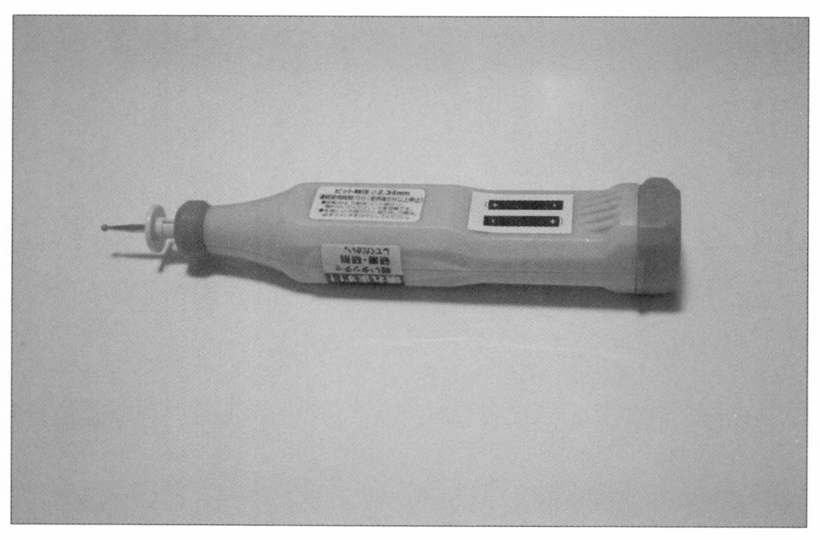

ダイソーのミニルータ

600円(税別)の商品なのですが、子どもでも使いやすい軽さで、トルクがあまり強くないので、手にあたってもケガをしにくいと思います。

連続して使える時間が「5分」と短いのですが、集中力をチャージするための休憩(きゅうけい)時間と考えればいいでしょう。

お試しで使ってみて、物足りなかったらちゃんとしたものを買ってもいいと思います。

＊

ミニルータで物を削(けず)ると、かなり細かい粉(こな)が出ます。
マスクを着けて使いましょう。

また、粉が多くなると、削る部分が見えなくなってしまいます。
ウェットティッシュもあると便利です。

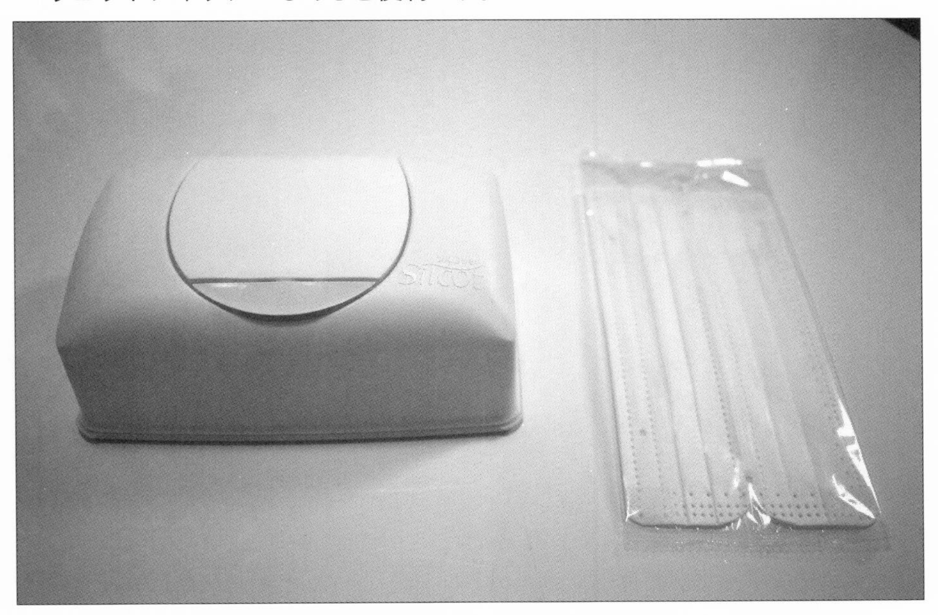

ルータを使うときはウェットティッシュとマスクを忘れずに

3-4
アクリル板を削る

さて、いよいよアクリル板を削っていきましょう！

削る前に、まず下絵を描いたほうがいいと思います。
僕は絵が苦手なので、たまたまもっていた封筒を下絵にしました。

今回はこの封筒の絵を下絵に使った

この封筒をアクリル板に、しっかりと貼り付けます。

セロハンテープで貼り付ける

これで準備完了(じゅんびかんりょう)です！

準備完了

ミニルータは鉛筆と同じように持ちます。

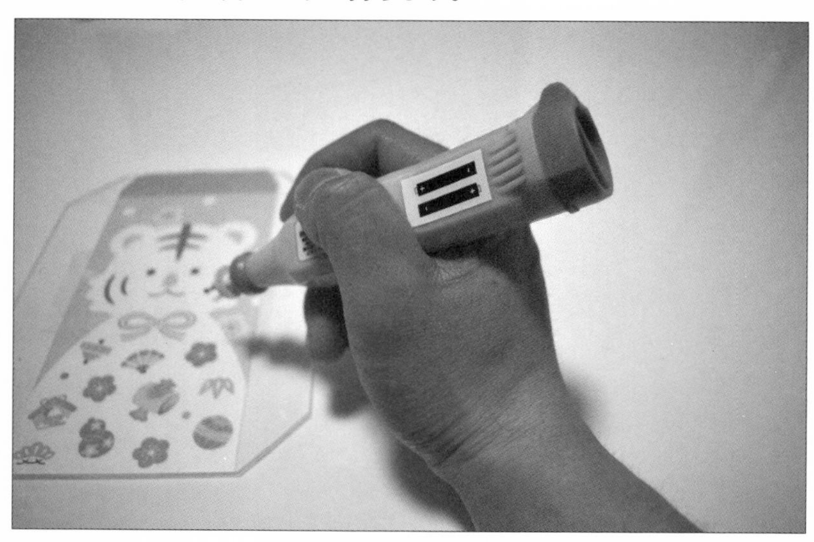

鉛筆を持つように持つ

力を入れる必要はありません。
アクリル板を撫でるように、ミニルータを動かしてください。

力は入れず、撫でるように動かす

ときどき、ウェットティッシュで削った粉を拭いてくださいね！

削った粉はウェットティッシュで拭く

ひととおり、絵をなぞったのがこちらです。

輪郭や模様の線をなぞり終わったアクリル板

アクリル板の下に黒い紙を敷(し)いて見やすくしたもの

このほうが削り残しも少なくなります。

模様の線の中も削って……、

模様を削る

さらに、輪郭を少し太くしてあげましょう。

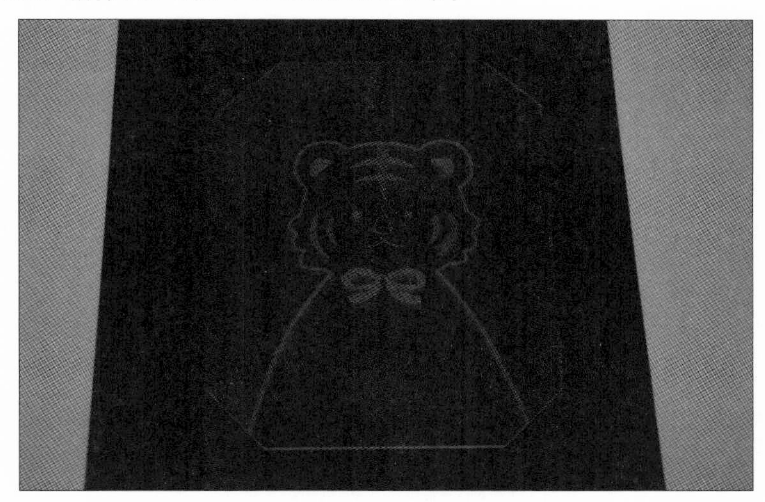

輪郭線の周りも削って線を太くする

だいぶ可愛くなってきましたね！

＊

ちょっと寂しいので、さらに模様を追加しました。

模様を追加

この模様も、簡単に削る方法があります。
ダイソーに売っているクラフトパンチを使う方法です。

クラフトパンチ

クラフトパンチで厚紙(あつがみ)を抜いて、模様を削るための型紙(かたがみ)を作ります。

クラフトパンチで模様の型紙を作る

あとは模様を付けたい部分に型紙を当てて、中を削っていくだけです。

型紙の中を削る

とても簡単ですよね？

ミニルータの扱いに慣れてくると、ついつい凝りすぎてしまいますよ！

3-5 組み立て

いよいよ組み立てです。

支えのパーツを、ちょうどアクリル板の厚(あつ)みだけすき間をあけて、LED(エルイーディー)スタンドに取り付けます。

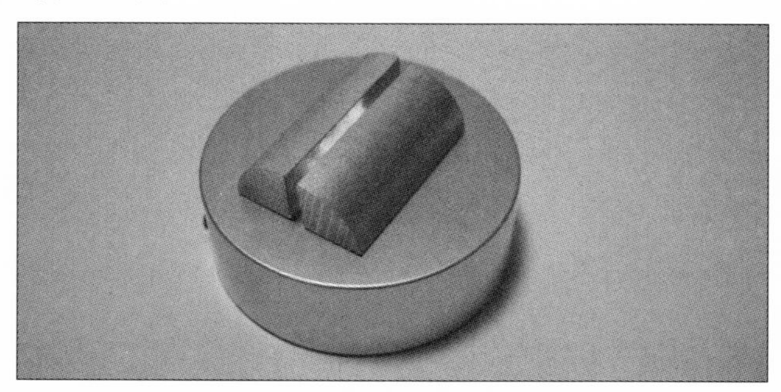

支えのパーツをLEDスタンドに取り付ける

すると、こんな感じでアクリル板が立つようになります。

支えのパーツの間にアクリル板を挿し込む

これで完成です！

＊

アクリル板そのものを固定(こてい)しないのは、板を交換(こうかん)できるようにするためです。横置きにしてもいいですね。

3-6
なぜ光るのか？

なぜ削(けず)った部分だけが光るのでしょうか？

アクリル板のフチから中に入った光は、板の中で反射(はんしゃ)を繰り返して、別のフチから飛び出します。

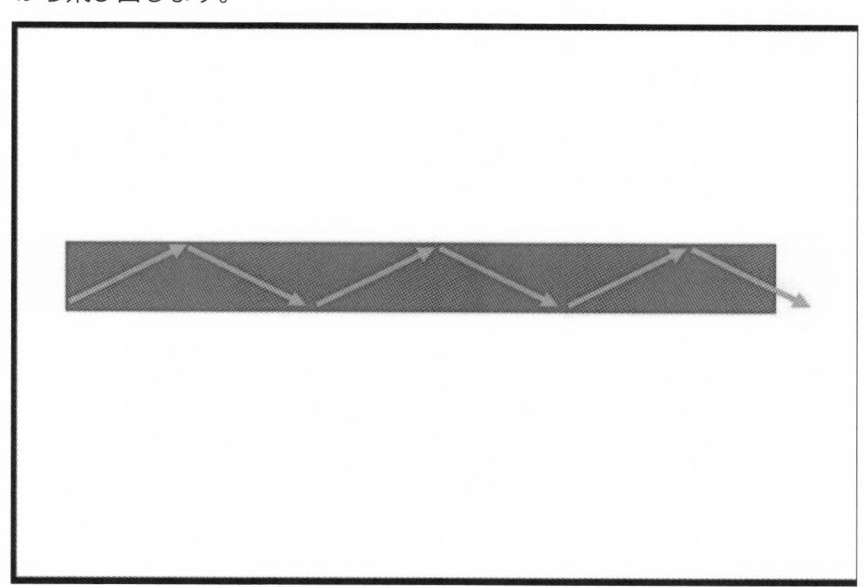

アクリル板の中で反射した光はフチから飛び出す

この飛び出した光しか、僕たちは見ることができません。

しかし、アクリル板の表面を削ると、その部分からも光が飛び出してきます。

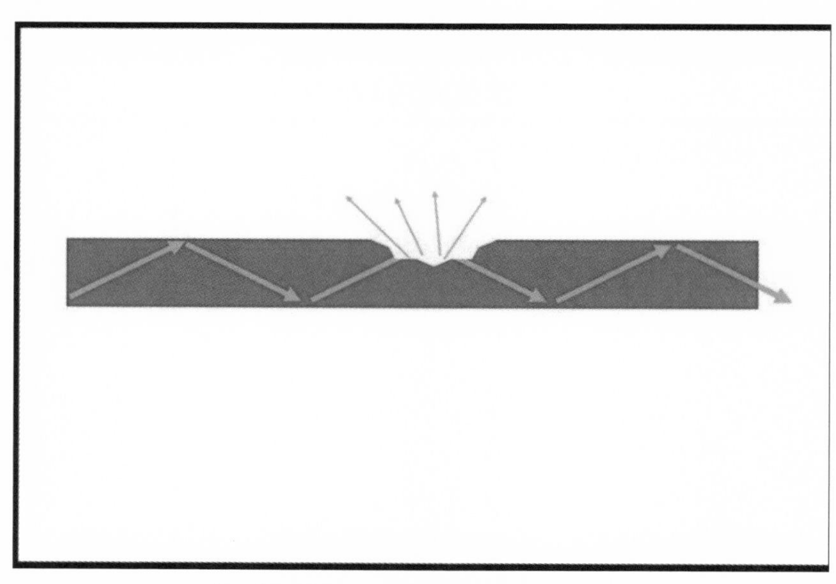

板の中で反射した光が削った部分からも飛び出す

なので、削った部分と、フチだけが光っているイルミネーションを作れるのです。

＊

今回はダイソーのミニルータを使って、オシャレなイルミネーションを作りました。

凝りだすと、キリがない工作かもしれません。

第4章

紫キャベツでカラフル実験

料理に彩りを加えてくれる紫キャベツ。

実は、その煮汁を使うといろいろな液体の性質を調べることができる検査液が作れるのです。

筆　者	ささぼう
記事URL	https://kagacraft.com/purplecabbage/
記事名	自由研究にいかが！？紫キャベツでカラフル実験！【夏休み・冬休み】

4-1 紫キャベツで検査液を作る

本章では、「液体の性質」(酸性・中性・アルカリ性) を調べる自由研究の方法を紹介します。

いろいろな液体の性質を調べてまとめると、すごくいい研究になりますよ。

リトマス試験紙※を買ってもいいのですが、せっかくなので「検査液」を自分で作ってみましょう！

※リトマスの水溶液に浸し染めた紙。化学で、酸性か塩基性かを判別するのに用いる(広辞苑より)。
　塩基性とはアルカリ性のこと

4-2 用意するもの

紫(むらさき)キャベツ

検査液の材料です。

スーパーで売っています。

紫キャベツ

いろいろな液体

塩水、砂糖(さとう)水、炭酸(たんさん)水、洗剤(せんざい)、重曹(じゅうそう)水などです。

なるべく無色透明(むしょくとうめい)に近いものだと、色が見やすくていいでしょう。

4-3 実験準備

紫(むらさき)キャベツの煮汁(にじる)で検査液(けんさえき)を作りましょう！

まずは紫キャベツ1/4をざっくり切って、水600ccを加えて10分間煮込みます。

注意！
火傷しないように気を付けましょう！　必ず、大人の方が見守ってあげてください。

紫キャベツを切る

鍋(なべ)に移(うつ)して水で煮る

煮ていくと、お湯がなんだかすごい色になってきます。

お湯に紫キャベツの色が移る

これをザルで濾(こ)して、常温(じょうおん)になるまで自然に冷ましてください。

ザルで煮汁と紫キャベツに分ける

分けた煮汁を冷ます

このままでは色が濃すぎるので、ほぼ同量の水で薄（うす）めます。

煮汁をコップに分ける

水を注いで薄める

これで検査液の完成です！

調べたい液体の数だけ、検査液を用意しましょう。

他のコップにも煮汁を入れて薄める

4-4
カラフル実験を楽しもう！

ためしに、検査液(けんさえき)にレモンを絞(しぼ)って入れてみましょう。

レモンを入れてみる

すると、紫色がピンクになります。

鮮(あざ)やかなピンク色になる
（本書の最初のページも見てみてください）

他にも、こんなものを入れてみましょう。

重曹

お掃除に使う重曹(じゅうそう)を溶かした水です。
今度は青色になりました。

かき氷のブルーハワイのような青色になる
(本書の最初のページも見てみてください)

さらに、キッチン用の漂白剤を入れると…。

キッチン用の漂白剤

黄色になります。

きれいな黄色になる
（本書の最初のページも見てみてください）

注意！
キッチン用漂白剤は、他のものと混ぜないように気を付けましょう！
また手に付いた際は、大量の水で洗い流してください。

ちなみに、お酢を入れてみると……、

お酢

おや！？　レモンと同じようなピンクですね。

レモンと同じピンク色になる

＊

並べてみるとこんな感じです。

左から、お酢、レモン、何も入れていない検査液、重層、漂白剤
（本書の最初のページも見てみてください）

とてもカラフルできれいじゃないでしょうか？

4-5 自由研究に

身近な液体を混ぜて、何色になるか記録を取りましょう。
そして、変わった色で仲間分けをして、その特徴をまとめてみてください。

小学3年生は、比較して共通点や違いをまとめられるようになることが、「理科」の目標になっています。

また小学4年生は、比較をもとに、根拠のある予想と仮説を立てられるようになること（関連付け）が目標です。

この自由研究では、それらの力を養うことができます。

4-6 なぜ色が変わるのか

紫キャベツの煮汁の色の元になっているのは、「**アントシアニン**」という色素です。

この色素は、酸性／中性／アルカリ性で色が変わる性質があり、酸性のときにピンク、アルカリ性のときに青や黄色になります。

＊

紫キャベツのほかにも、検査液として使えるものがあります。
その1つが「**バタフライピー**」というハーブティーです。

バタフライピー

水出しすると鮮やかな青色のお茶が出来上がります。

これにレモン汁と重曹を入れると、紫キャベツとは別の色で酸性・アルカリ性を教えてくれます。

向かって左がレモン汁を、右が重曹を入れたバタフライピー
（本書のもくじも見てみてください）

バタフライピーは、ハーブティーのお店や輸入品のお店で売っています。
飲んでもすごく美味しいお茶です。

第5章
100均材料を使ったバスボムの作り方

100円均一のお店で売っている「クエン酸」と「重曹」を使うと、お家で簡単にブクブクと泡が出る入浴剤を作ることができます。

筆　者	ささぼう
記事URL	https://kagacraft.com/bathadditive/
記事名	【100均でそろう！？】クエン酸と重曹で出来る バスボム の作り方

5-1 発泡入浴剤は自作できる！

ブクブクと泡が出る入浴剤は、見ていて楽しいものです。
僕も、子どものころはあのブクブクが見たくて、一番風呂に入っていました。

そんなブクブクと泡が出る「**発泡入浴剤**」は、自分でも簡単に作れてしまうのです！

本章では、そんな「発砲入浴剤＝**バスボム**」の作り方を紹介します。

5-2 用意するもの

用意するものはたったの4つです。

- **クエン酸**
- **重曹**
- **食紅(食用の色素)**
- **アロマオイル(お好みで)**

クエン酸

掃除用のもので大丈夫です。100円均一のお店で売っています。
ここでは口に入れても危なくないものを使っています。
とはいえ、気になる方は食品用のものを使ってください。

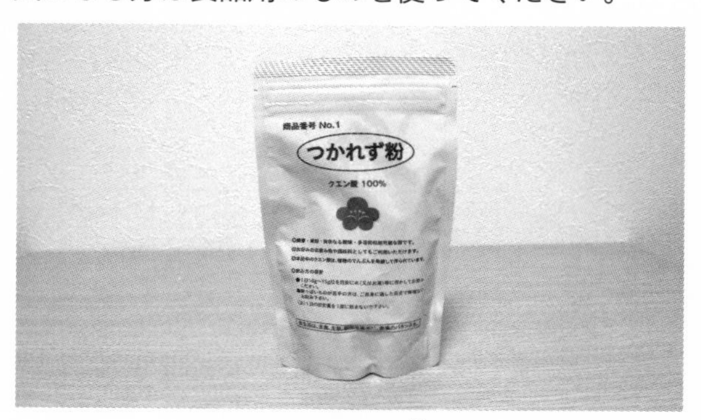

掃除用クエン酸

重曹

こちらも100円均一のお店で売っています。

クエン酸と同じように、今回は口に入れても大丈夫なものを使いました。
ですが、掃除用のものでもまったく問題ありません。

重曹

食紅（食用の色素）

これは何でも大丈夫です。

ここでは赤色と黄色を使っています。

食紅（左が赤色、右が黄色）

アロマオイル

お好きなものを数滴（すうてき）使ってください。

最近はこれも100円均一のお店で手に入ります。

5-3 作り方

色水を作る

食紅を水に溶かして、色水を作ります。

水を用意する

食紅を入れる

よくかき混ぜる

＊

色は濃(こ)いほうがいいです。

しかし、ちょっとしか使わないので作り過ぎないようにしてください。

これくらいの量でも充分(じゅうぶん)すぎるくらいです。

色水の量は写真よりも少なめに

クエン酸と重曹を量って混ぜる

クエン酸と重曹は1：2の割合で混ぜます。

この割合は体積なので、ここでは大さじのスプーンを使いました。

また、ボウルや使い捨てのドンブリなど、底が深い容器を使うと作業しやすいです。

底が深い容器が便利

*

さっそくクエン酸と重曹を混ぜていきましょう。

クエン酸は大さじ1杯、重曹は大さじ2杯です。

クエン酸を大さじ１、重曹を大さじ２で混ぜる

量り終わったら、アロマオイルを数滴垂らして、材料を手でしっかり混ぜます。

手で材料を混ぜる

素手でも大丈夫ですが、気になる方は手袋を使うといいでしょう。

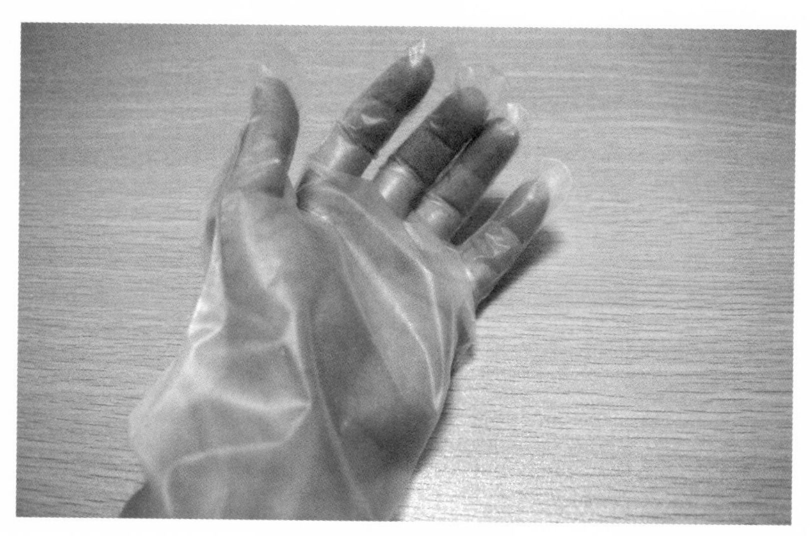

手袋を使ってもOK

続いて、お好みの色水を10滴だけ垂らします！

色水を10滴垂らす

すると、その時点(じてん)でシュワシュワしてくるので、またよく混ぜてください。

色水を入れすぎると、シュワシュワが止まらなくなってしまうので注意しましょう！

色水を入れたらまた混ぜる

全体がシットリしたらOKです！
今回は黄色・白色・赤色の３色を作りました。

黄色(写真手前の左)、白色(写真奥)、赤色(写真手前の右)

白色は、ただの水を10滴垂らして作ります。

形を作ろう！

まずは丸い形のバスボムを作りましょう！

ラップを用意します。

ラップを広げる

この上に、混ぜた材料を好きな分量で置きます。

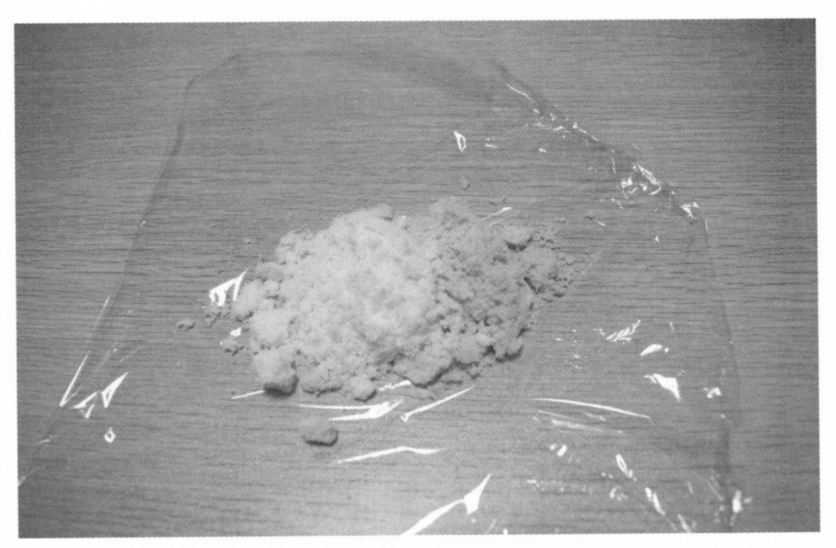

材料をラップの上に置く(写真では黄色の粉と赤色の粉を置いている)

これを丸めて形を整えます。

ラップを絞(しぼ)って丸める

ラップをかけたまま**半日ほど待って**固めると、できあがりです。

丸めた状態で固まる

＊

丸い形のほかに、このような容器に詰（つ）めてみると……、

動物の形のへこみがある容器に粉を詰める

このように、可愛いバスボムが出来上(できあ)がります。

動物の模様(もよう)があるバスボムが出来上がる

完成!

ラッピングするとさらにいいでしょう。
プレゼントにもぴったりです。

袋詰(ふくろづ)めしたバスボム

5-4 お風呂に入れてみよう！

「ほんとうにブクブクと泡(あわ)が出てくるの！？」と思うかもしれません。

実際(じっさい)にお湯に入れてみましょう！

作ったバスボムをお湯に入れてみる

せ〜〜〜の！

ブクブクと泡が噴(ふ)き出す

すごい勢(いきお)いで泡が出てきました！

バスボムをアップで写した写真
噴き出している細(こま)かい泡が容器の真ん中に白く写っている

それと同時に、アロマオイルの香りが広がって、いい感じです！

5-5
なぜ泡が出るのか？

バスボムから泡が出るのは、クエン酸と重曹の化学反応が原因です。

クエン酸と重曹を混ぜると化学反応が起こり、「クエン酸三ナトリウム」「二酸化炭素」「水」に変わります。

クエン酸 ＋ 重曹 ➡ クエン酸三ナトリウム ＋ 二酸化炭素 ＋ 水

この二酸化炭素がブクブク泡の正体です。

お湯に溶け込んだ二酸化炭素は、皮膚から吸収されます。
すると、体が酸欠だと勘違いして血管を広げ、多くの酸素を体中に運ぼうとします。

その結果、血行が良くなると言われています。

＊

今回のバスボムの配合だと、お湯は**弱アルカリ性**になります。
実際に確かめてみましょう。

バスボムを入れたお湯を、**4章**で作った紫キャベツの煮汁と混ぜてみましょう。
ほんの少しですが青色になり、弱いアルカリ性であることが分かるはずです。

弱アルカリ性の温泉のように、皮膚の余分な皮脂や角質を落とし、肌がツルツルしてきますが、お風呂から出るときには、シャワーで体を軽く流したほうがいいかもしれませんね。

色や形、香りなど、工夫できる部分がたくさんあるので、ぜひオリジナルのバスボムを作ってみてください！

第6章

宙に浮かぶ!?ディスプレイスタンド

支(ささ)えがないのに空中(くうちゅう)で止まっているように見える不思議な構造(こうぞう)「テンセグリティ」を利用して、面白いディスプレイスタンドを作りましょう。

筆　者	ささぼう
記事URL	https://kagacraft.com/tensegrity/#toc6
記事名	釣り糸でテンセグリティ！浮かぶディスプレイスタンド（夏休み冬休み工作）

6-1 板が宙に浮かぶ！？

本章で紹介する不思議な工作は、こちらです！

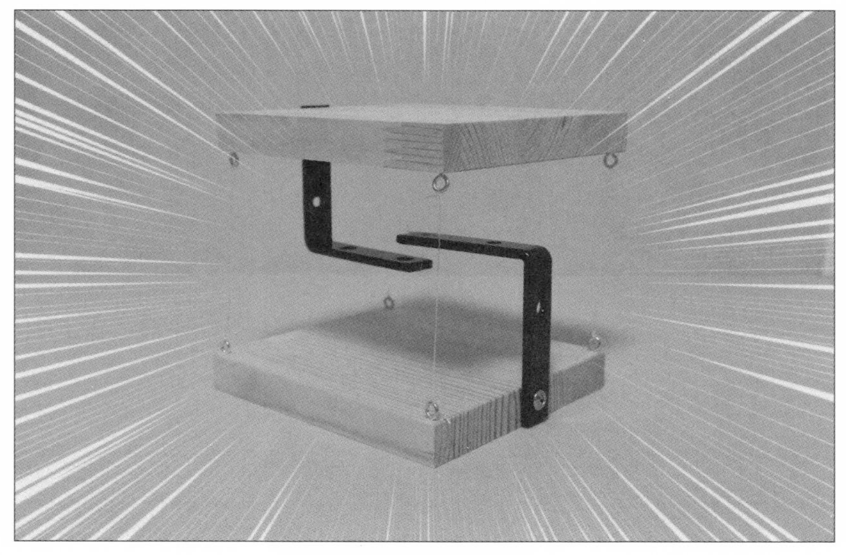

宙に浮かぶディスプレイスタンド

浮(う)いているように見えませんか？

これはディスプレイスタンドです。
プラモデルを乗(の)せてみると、本当に不思議ではないでしょうか。

まるでプラモデルを乗せた土台が浮いているように見える

この工作は「**テンセグリティ**」という構造でバランスを取っています。
これを作って学校にもっていけば、人気者になること間違いなしでしょう。

少し大変ですが、頑張って作ってみましょう！

6-2
用意するもの

材料は以下の通りです。

- 木材
- L字金具
- ヒートン
- 釣り糸
- 木材

使う材料

木材

ホームセンターで売っているもので、厚さは1.5cmです。
今回は12cm × 14cmにカットして使いました。

ホームセンターでは木材カットのサービスを行なっている場合があります。
ノコギリを使うのが不安な方は、ぜひ活用してください！

木材

L字金具

これもホームセンターで買いました。
ここでは長さが7.5cmのもので作っていきます。

用意した木材の、だいたい半分くらいがちょうどいい長さです。
金具に合わせて木材をカットしてもいいですね。

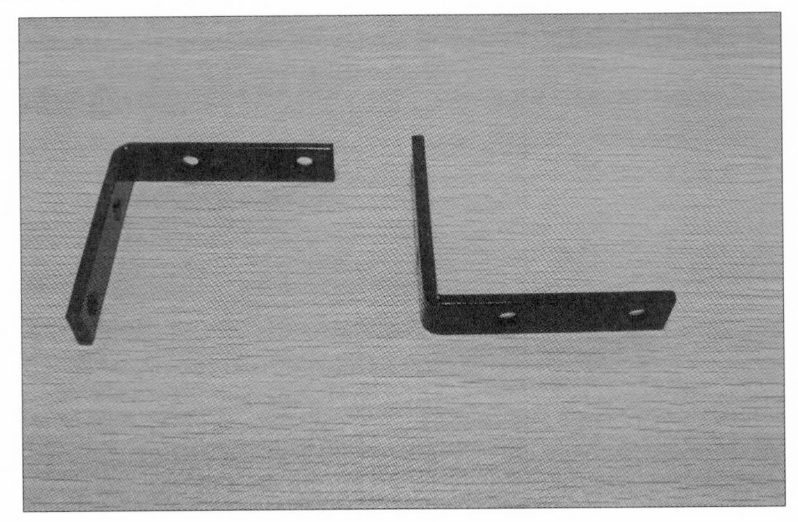

L字金具

ヒートン

小さめのものでOKです。

これを8本使います。

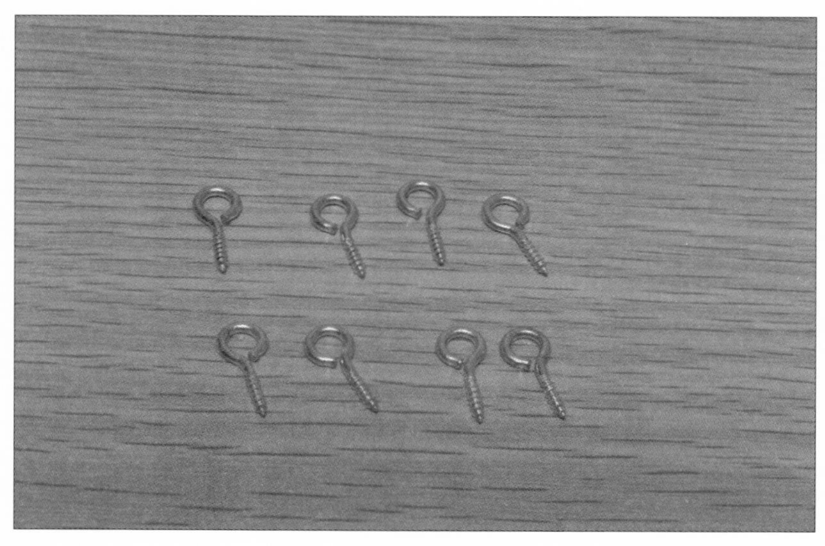

ヒートン

釣り糸

釣り糸は何でもOKです。

ただ、あまり太すぎるものだと結びにくいので、8号くらいがちょうどいいです。

6-3 作り方

パーツを作る

まずは木材の短い辺の側面(そくめん)に、中心を示す線を引きます。

中心の線を引く

定規を使って引いてみてください。
「指金(さしがね)」という道具があると便利です。

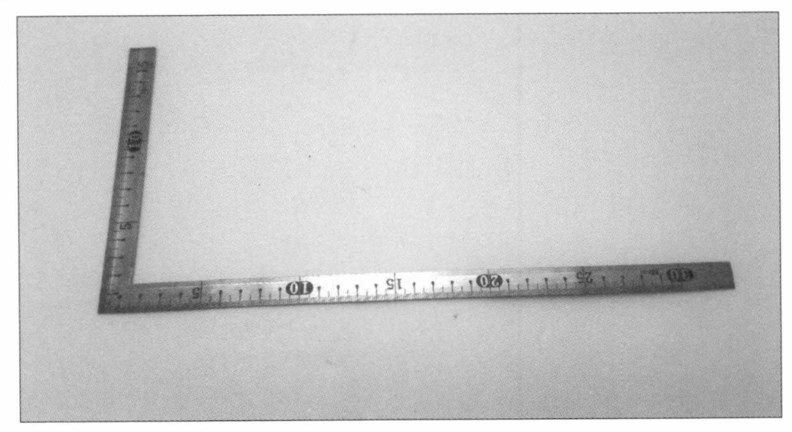

指金

この線を目印にして、L字の金具を取り付けます。

L字金具を取り付け

取り付けにはネジを使いますが、ネジの太さは金具ごとに推奨(すいしょう)のものがあるので、注意してください。
ドライバを使ういい練習になると思います。

続いて、木材の四隅(よすみ)にヒートンをねじ込(こ)みます。

木材にヒートンをねじ込む

ここでワンポイント！
ヒートンをねじ込む場所に、前もって穴(あな)を開(あ)けておくと作業しやすいです。

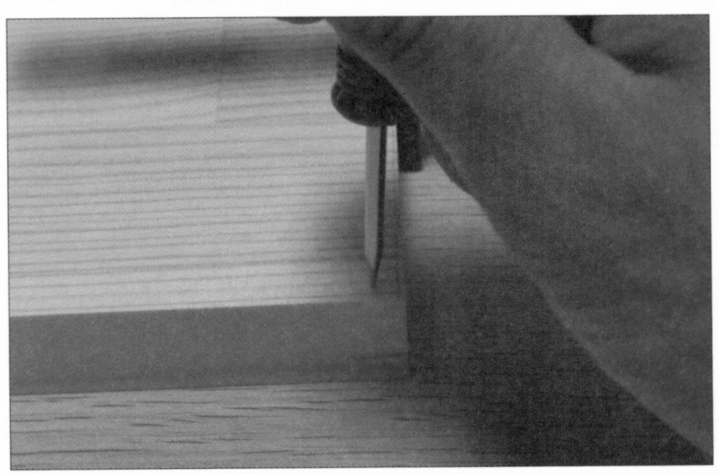

ヒートンをねじ込む場所に穴を開けておく

これを２つ作ります。

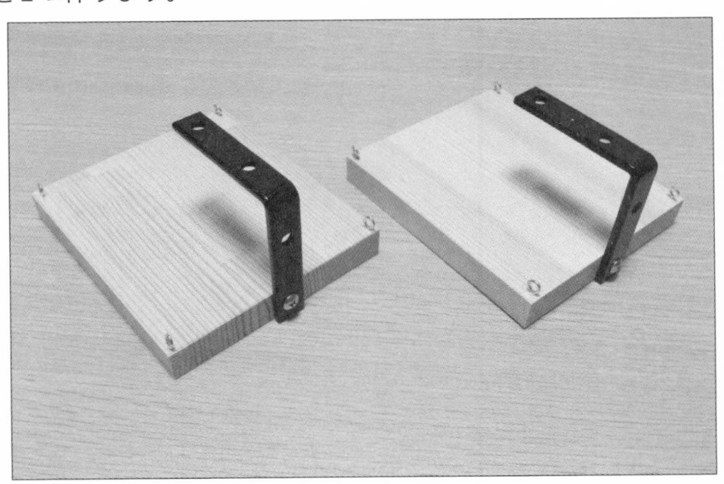

ヒートンとＬ字金具を取り付けた木材を２つ作る

パーツを組み合わせる

さあ、ここからが本番です！
L字金具の先同士を、釣り糸で次の写真のようにつなぎます。

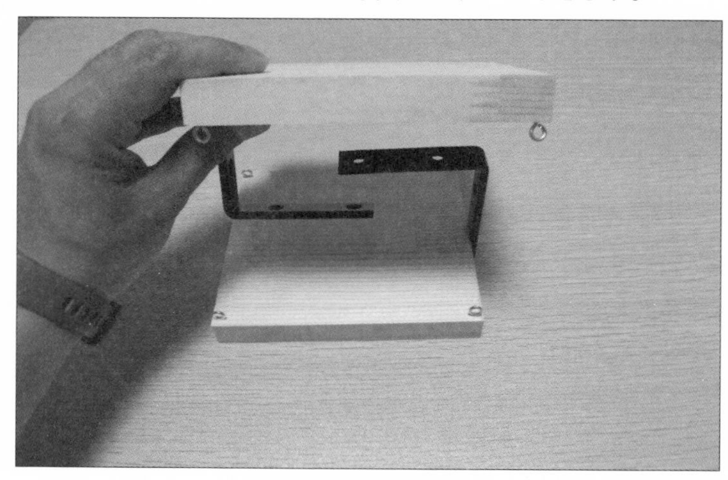

金具の先を釣り糸でつなぐ

何かで支えてあげると結びやすいです。

テープなどに乗せておくと作業しやすい

すると、こんな感じになります。

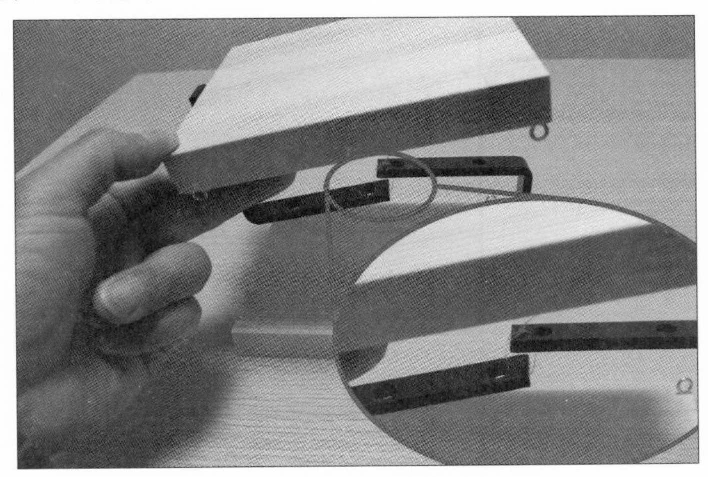

金具をつないだ様子

金具と金具の距離が、1cmくらいになるようにつないでください。
だいたいで大丈夫です。

ちなみに、釣り糸は滑(すべ)りやすいので手だとしっかり結べません。
片側をラジオペンチなどで引っ張ると、しっかり結べます。

釣り糸の片側をペンチで引っ張ると結びやすい

続いて、後ろ側のヒートン同士(どうし)をつなぎます。

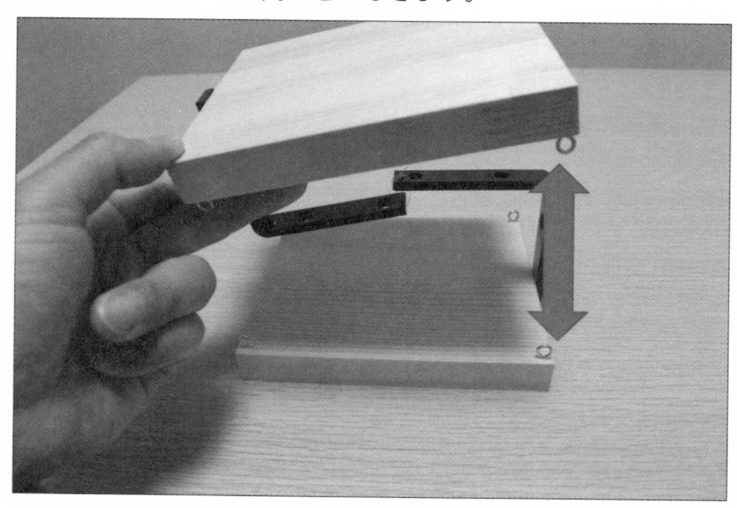

上のヒートンと下のヒートンを結ぶ

このときも、何かで支えてあげると作業がしやすいです。
高さを簡単に調節できるように、写真では紙コップを使いました。

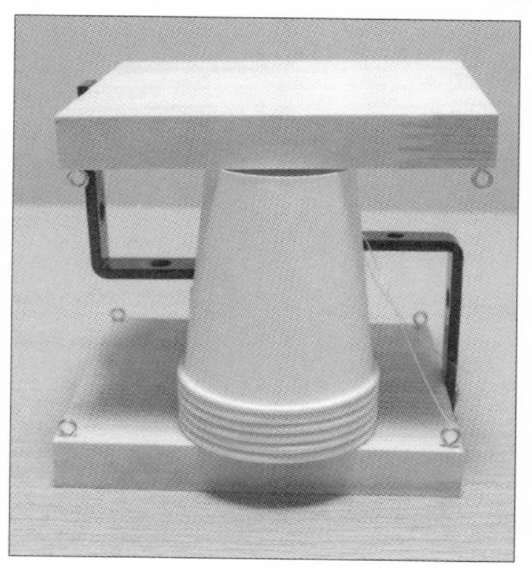

紙コップで上の板を支えておく

最後に、前のほうのヒートンも釣り糸でつなぐと完成です。

完成したディスプレイスタンド

あまり重たいものは乗せられませんが、自分の好きなものを飾(かざ)って楽しんでください。

6-4 テンセグリティとは？

テンセグリティについて、たとえばWikipediaでは、

> テンセグリティは、工学においては直線部材(ちょくせんぶざい)のピン接合(せつごう)からなる構造(こうぞう)システムのうち、圧縮材(あっしゅくざい)が互いに接続されていず、張力材(ちょうりょくざい)とのバランスによって成立しているような構造システムである。張力材は互いに接続されていてもよい。3次元構造の場合、圧縮材の両端には少なくとも3本以上の張力材が接続されていなければならない。

と書かれています。

「なんのこっちゃ！？」ですよね。

ざっくり言うと、物同士(どうし)が互(たが)いにくっついておらず、**「張力(ちょうりょく)」**（引っ張る力）によってバランスを保(たも)っている構造のことです。

本章の工作で言えば、L字金具同士を釣(つ)り糸でつないだだけだと、上側の板は前のほうに倒(たお)れてしまいます。

金具が付いている分、前のほうが重たいからです。

金具の重さで板が倒れる

なので、その反対側から釣り糸で引っ張ります。

こうしてバランスをとるわけです。

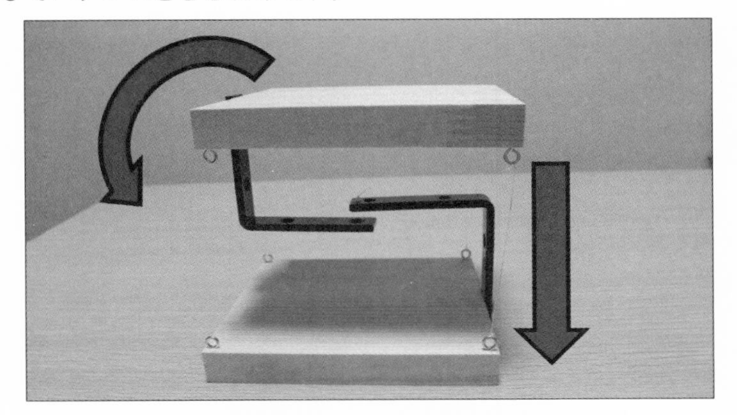

上の板が倒れないように釣り糸で引っ張る

＊

「えっ？　じゃあ前のほうの釣り糸はいらないんじゃないの？」と気づいた方は鋭いです。

確かに、後ろ２本の釣り糸だけでも、バランスをとることはできます。

しかし、それだと横から押されると、簡単にバランスを崩して倒れてしまうのです。

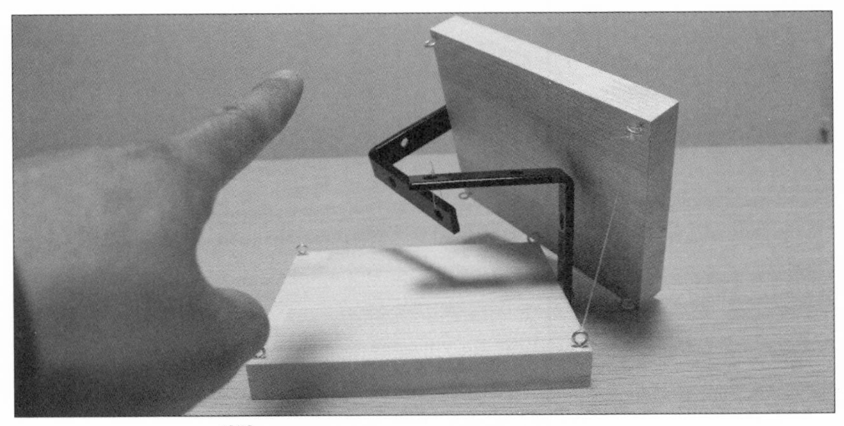

後方の釣り糸だけだと横からの力で倒れてしまう

それを押さえるために、前のほうの釣り糸が必要なのです。

＊

この構造を応用すると、こんなディスプレイスタンドも作れてしまいます。

宙(ちゅう)に浮(う)かぶディスプレイスタンド(応用編(おうようへん))

いろいろと工夫できるといいですね！

＊

本章では、テンセグリティを利用した不思議なディスプレイスタンドを紹介しました。

ドライバ、釣り糸と、扱(あつか)いにくい道具や材料を使うので、慣(な)れないうちは手間取(てまど)るかもしれません。

ですが、夏休みや冬休みのような長いお休みに、じっくりと工作に取り組んでみてもいいのではないでしょうか？

苦労した分、完成したときの喜びはすごいですよ！

第7章 CDをホバークラフトにリサイクル

いらなくなったCDやDVDと風船を組み合わせると、ホバークラフトの仕組みを実感できる工作を作ることができます。

筆　者	ささぼう
記事URL	https://kagacraft.com/hovercraft/#toc4
記事名	もったいない！捨てるCDをリサイクルして、簡単ホバークラフト作り！

7-1 捨てるCDがホバークラフトに変身！

皆さんはCDを買いますか？　僕は学生のころ、たくさん買っていました。

ですが、最近ではWebで音楽をダウンロードすることが多くなり、「もう必要ないよ」という方も多いかもしれませんね。

そこで**本章**では捨ててしまうCDを材料にして、ホバークラフトを作りましょう！

それが……こちら！

ホバークラフト

どうやって遊ぶのでしょうか？

7-2 遊び方

ホバークラフトを走らせるために、まずは風船を膨(ふく)らませます。

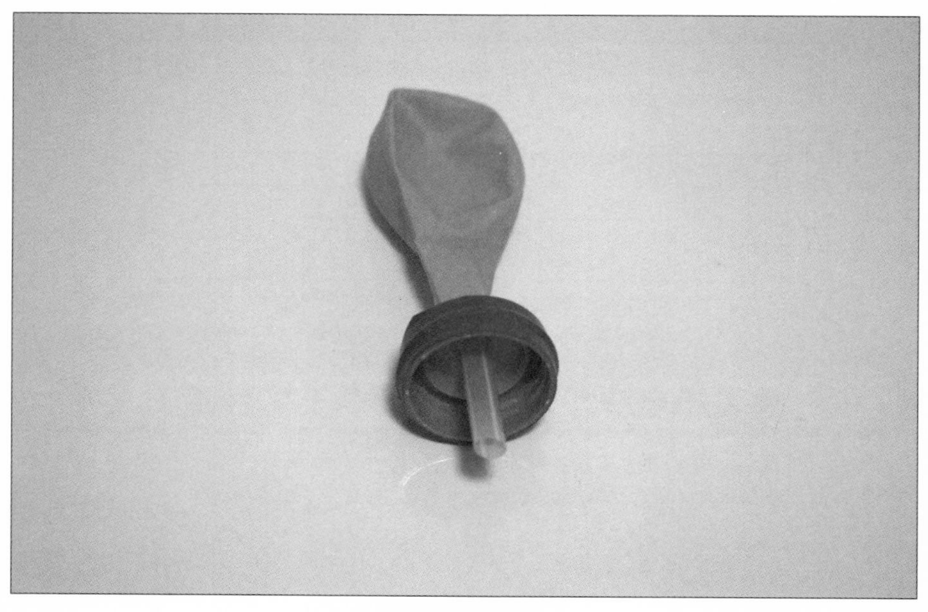

風船を膨らませる

ペットボトルキャップを外すと、穴が開いています。
この穴にストローを挿(さ)し込み、空気を入れるのです。

風船が膨らんだらストローを抜いて、キャップを取りつけます。
このとき、**キャップを取りつける前に空気が出てしまわないように**してくださいね！

机に置いて、少しだけ押してあげると……？

滑（すべ）るように動く

風船の空気がなくなるまで遊べます。なるべく平らな場所で遊ぶのがコツです。

もちろん、モーターキットのようにはいきませんが、とっても楽しいですよ！

さっそく、作り方を紹介します。

7-3 使う材料

材料は以下の通りです。

CD(DVDも可)	もう聞かないものや、うまく再生されなくなったもの。
風　船	ここでは9インチのものを使いました。
ストロー	なんでもOK！
ペットボトル	500mLで、四角いものが使いやすいです。

たったこれだけ。ほとんどが捨ててしまうものですよね？

使用する材料

7-4 作り方

まずはペットボトルキャップに穴を開けます。

「目打ち」という道具を使うと便利です。

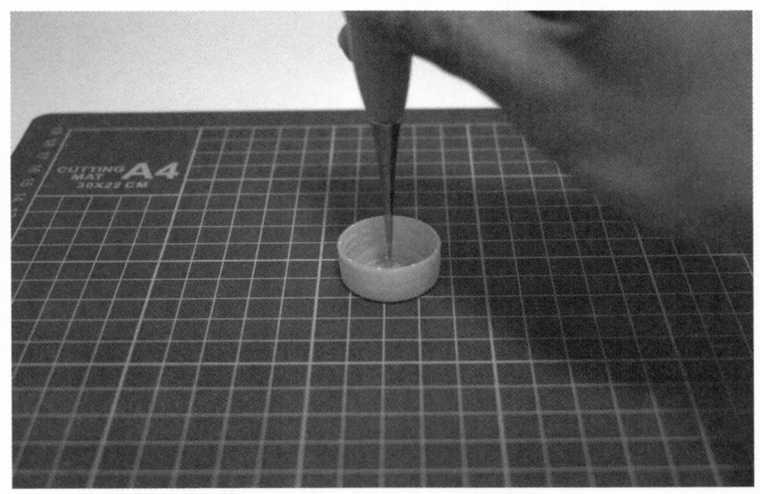

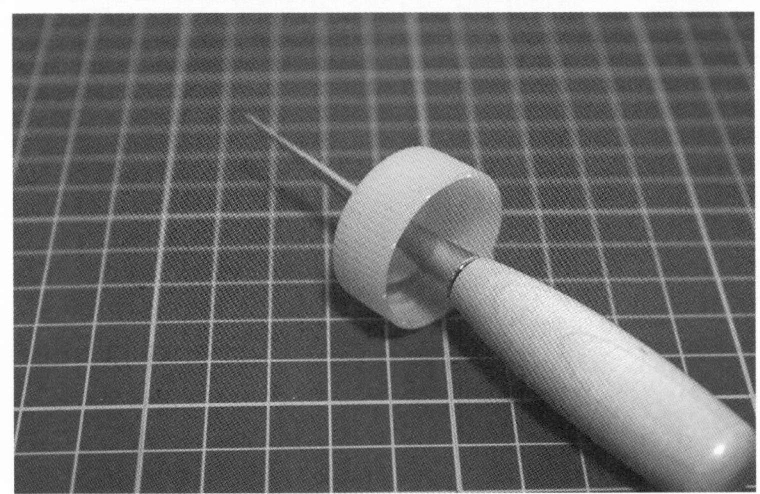

目打ちで穴を開ける

穴の大きさは、ストローが通るくらいです。

ここで注意点です！

キャップの上から穴を開けないようにしてください。

キャップの上から穴を開けない

風船を膨らませるストローは、キャップの下から通します。

上から穴を開けてしまうと、ストローが入りにくくなるのです。

＊

このキャップに風船をかぶせましょう。

キャップに風船を被せる

ここはつまずきやすいポイントだと思います。
必要ならば、保護者(ほごしゃ)の方が手伝ってあげてください。

このままでは、ちょっと触っただけで取れてしまいます。
せっかく頑張ったのに、取れてしまうとガッカリしてしまいますよね。
そうならないように、ビニールテープでしっかりと固定してください。

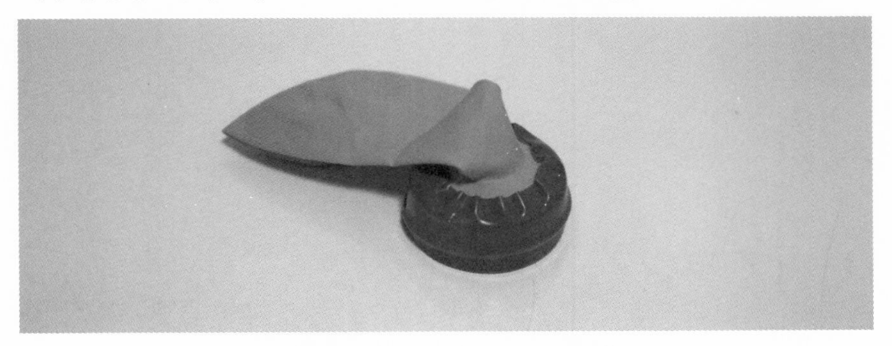

風船をビニールテープでしっかりと固定

＊

続いて、ペットボトルの本体をカットします。

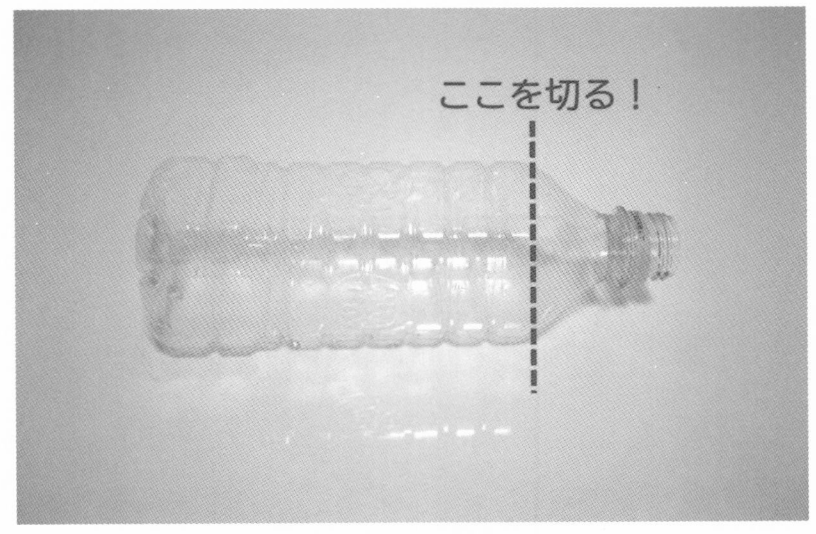

ペットボトルの本体をカット

だいたいで大丈夫です。カッターナイフが便利だと思います。

飲み口が付いているほうを使う

＊

ここでも注意点です！

カットした面を下にして、なるべくカタカタしないように整えてください。

＊

これをCDに取りつけます。

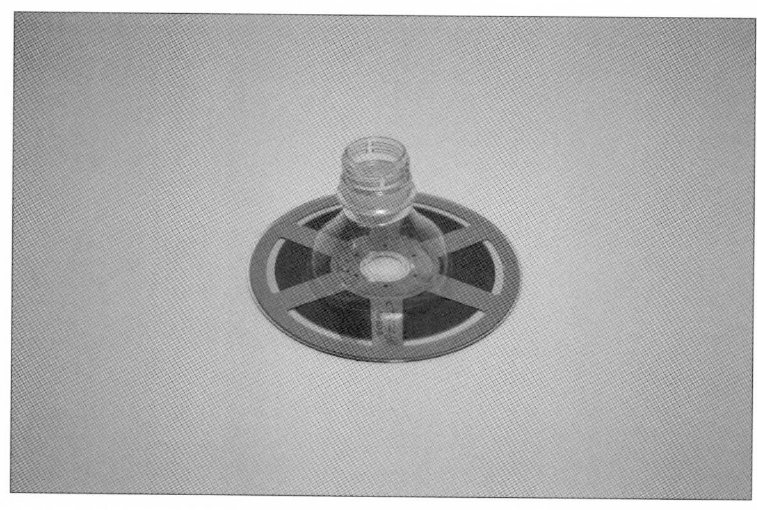

CDの上にペットボトルを置く

僕はビニールテープを使いました。空気が漏れにくくていいんです。

CDにカットしたペットボトルを取り付ける

これにキャップを取りつけたら、完成！

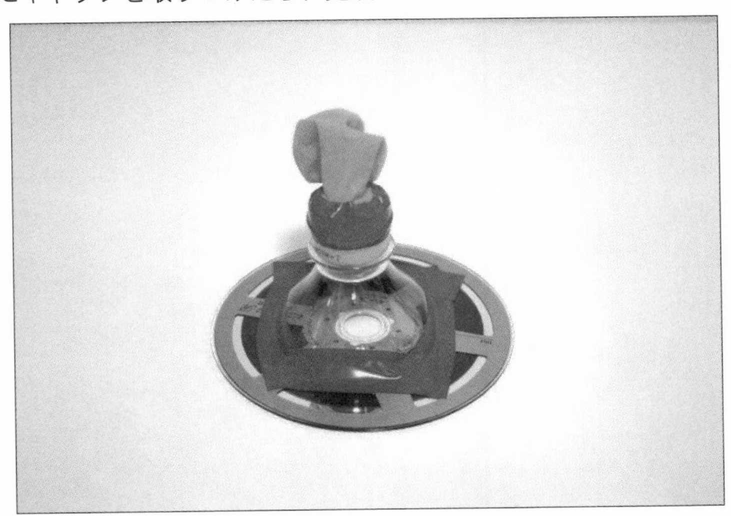

完成したホバークラフト

風船が膨(ふく)らんでないとしょぼいですね。

風船は遊んでいるうちに劣化(れっか)して破れてしまいます。
そのときは交換してあげてください。

7-5
ホバークラフトは、なぜ“すいすい”と動くのか？

ホバークラフトは、空気を噴(ふ)き出すことで、地面との「摩擦(まさつ)※」を小さくして“すいすい”と動きます。

風船から噴き出した空気が、ホバークラフトの車体を少しだけ浮かすんです。

それによって地面との摩擦が小さくなります。

※ある物体(ぶったい)がほかの物体の表面を滑ったり転がったりするときに、その動きを妨(さまた)げる方向に発生する力のこと。
　自転車や自動車のブレーキも摩擦を利用してタイヤの回転を止めている

ところで、このホバークラフトの動きって、どこかで見たことがありませんか？

商業施設のゲームコーナーとか……そう、エアホッケーです！

空気が噴き出している向きは逆ですが、エアホッケーが“すいすい”と動くのも、同じ仕組みなんです。

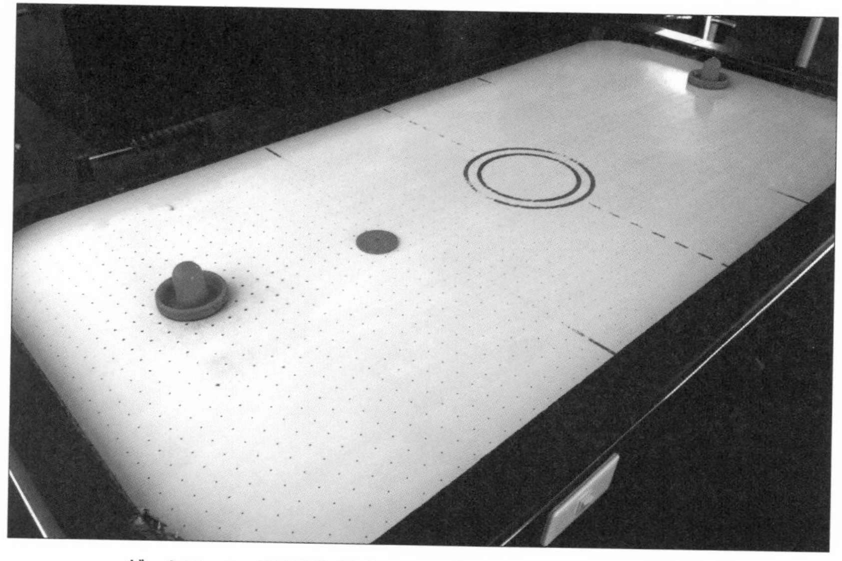

ゲームコーナーの定番「エアホッケー」もホバークラフトと同じ仕組み

実際のホバークラフトは、水陸両用の乗り物です。

浮くだけではなく、進む力も、空気を噴き出して作ります。

メリットとしては、浅瀬や湿地でも速度を落とさずに走れるのだそうです。

すごいですが、デメリットもあります。

燃費が悪く、音が大きくてうるさいのが欠点だそうです。

確かに平らな道なら、タイヤやキャタピラで走ったほうが簡単そうかもしれませんね。

第8章

シェービングフォームで作る「もこもこスライム」

スライムを作るとき、簡単に手に入る「ある材料」を加えるだけで、雲のようにもこもこでふわふわなスライムにすることができます。

筆　者	ささぼう
記事URL	https://kagacraft.com/mokomoko/#toc2
記事名	【まるで雲みたい！？】シェービングフォームで作る「もこもこスライム」

8-1 工作の定番、スライム

突然ですが、全国の科学館で定番の工作は何だと思いますか？

多くの方は、「スライム」が思い浮かぶのではないでしょうか。

僕が働いている科学館でも大人気で、ある年のゴールデンウィークには、あっという間に定員になってしまいました（作れなくて泣いてしまった子も……）。

そんなスライムに、あるものを＋αするだけで、雲のようなもこもこ・ふわふわした感触（かんしょく）にできます。

こんな感じです。

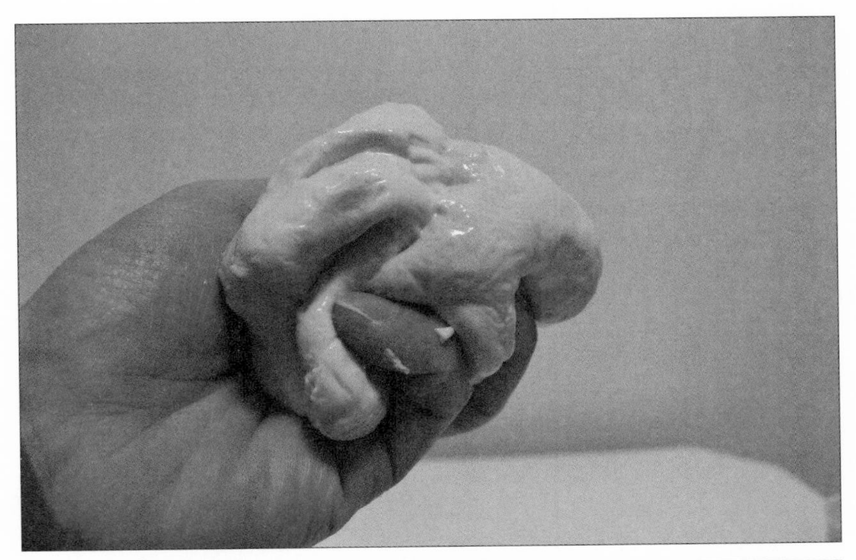

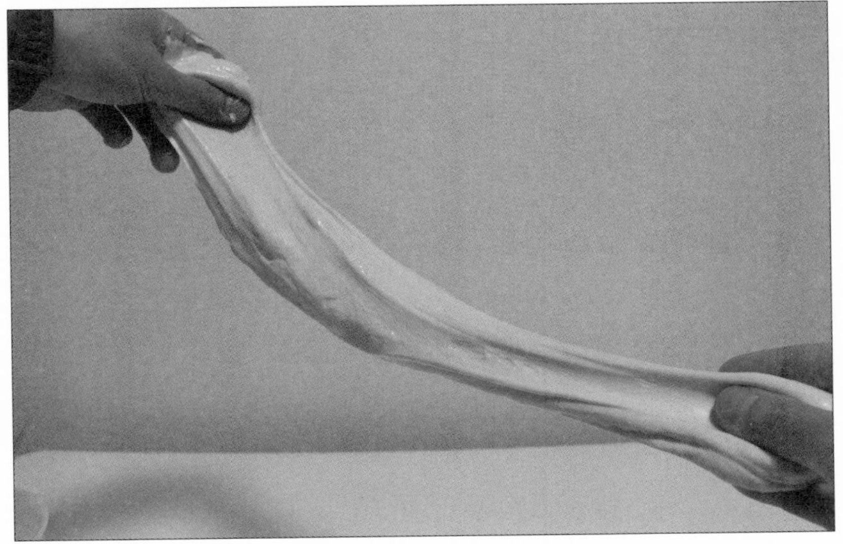

もこもこでふわふわなスライム

これは触(さわ)っていて気持ちいい上に、とっても簡単に作れてしまいます。
さっそく作ってみましょう。まずは材料から。

8-2
用意するもの

材料は以下の通りです

水	今回は食紅で色を着けました。絵具でもOKです！
洗濯のり	PVA配合のものを使います。ドラッグストアに売っています。
ほう砂水溶液	作り方は後で説明します。
シェービングフォーム	この工作のキーアイテムです。なんでもOK。

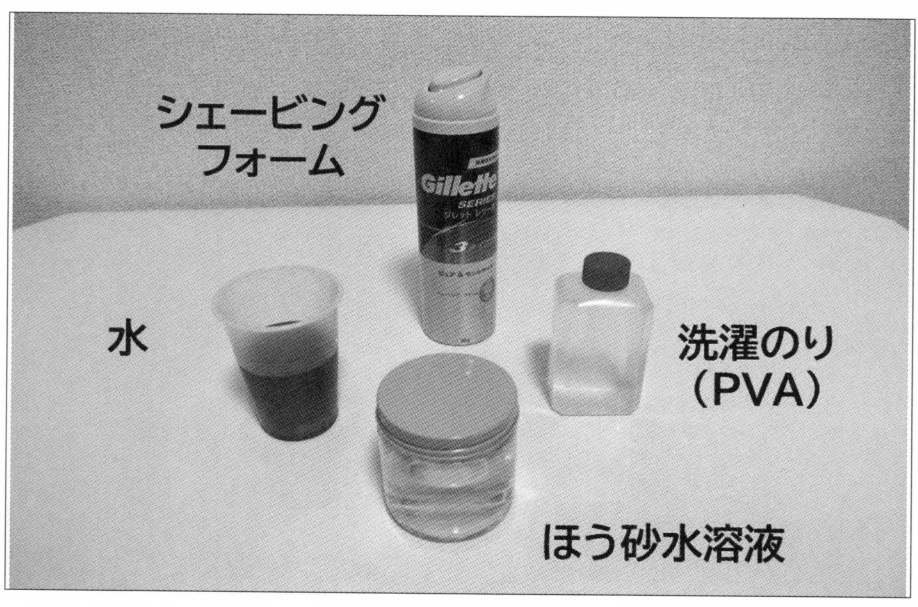

用意するもの

ほう砂水溶液の作り方

「ほう砂(しゃ)」というものを水に溶かすだけです！

ほう砂水溶液

ドラッグストアなどで売っていることもありますが、今は通信販売で安く手に入ります。

どのくらい溶かすのかというと、「これ以上溶けないよ」というくらいです。
これを「飽和水溶液(ほうわすいようえき)」と呼びます。

目安としては、水100mLに対して、ほう砂が4.7g（温度によって変わります）。
ただ、少し溶け残っているくらいがいいです。
溶け残っているということは、水にめいっぱい溶けているということですから。

もし秤(はかり)がなければ、ほう砂を適当に入れて少し置いておきましょう。
完全に溶け切っていたら、ほう砂を足してまた置く。

これを、溶け残りが出るまで続けたらOKです。

8-3 作り方

広めの容器の中で、スライムを作ります。

これは何でもいいのですが、ボウルのようにかき混ぜやすいものがいいですね！

広めの容器

まずは、水を大さじ4杯。

水を大さじ4杯加える

さらに洗濯のりを、同じく大さじ４杯加えます。

洗濯のりを大さじ４杯加える

この時点で一度、水と洗濯のりをしっかり混ぜます。

しっかり混ぜる

混ぜる棒は使い捨てられるものがいいと思います。

これに、ほう砂水溶液を加えて混ぜるとスライムになります……が！

今回はこれに＋αします！

シェービングフォームをプラスしましょう。
量はだいたいこれくらいです。

シェービングフォームを用意

プラスチックコップで１杯くらいです。
ここはざっくりで大丈夫です。

これを入れて、全体が均一になるようにかき混ぜます。

シェービングフォームを加えてよく混ぜる

これに、ほう砂水溶液を入れて、さらに混ぜていきます。
まずは大さじ2杯くらい。

ほう砂水溶液

するとこんな感じ。

少しづつ塊（かたまり）になってくる

さらに大さじ１杯、ほう砂水溶液を加えてかき混ぜます。

これを繰り返してこんな感じになったら完成です。

全体が塊になったら完成

＊

触るとすごく気持ちいいですが、触ったあとはちゃんと手を洗ってください。

食紅の色を変えて、いろいろな色のスライムを作ってみても楽しいですね。

完成した「もこもこ・ふわふわスライム」

8-4 注意すること

スライム作りに使うほう砂水溶液はとても濃(こ)いです。
絶対に口に入らないようにしましょう！

また、手で触っても平気ですが、遊んだ後はしっかり手を洗ってください。
これは、手に残ったスライムを食べてしまわないようにです。

8-5 なぜスライムになるのか？

ほう砂(しゃ)と洗濯のり(PVA)の化学反応が原因です。

洗濯のりに含まれているPVAとは、「ポリビニルアルコール」という水溶性のプラスチックです。
目には見えませんが、長いヒモのような構造をしています。

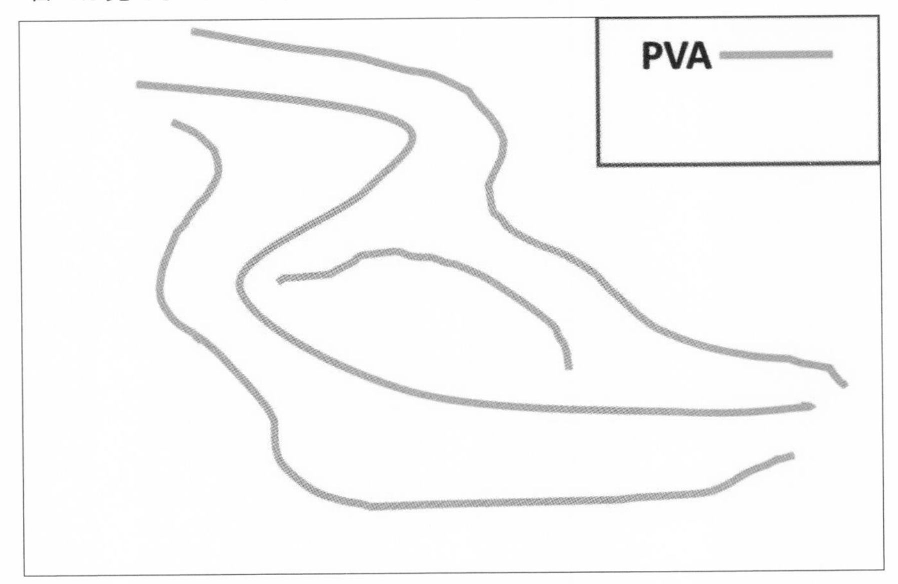

ポリビニルアルコールの構造

このヒモの間を、ほう砂が橋を架(か)けるようにつないで、網(あみ)の目のような構造を作ります。

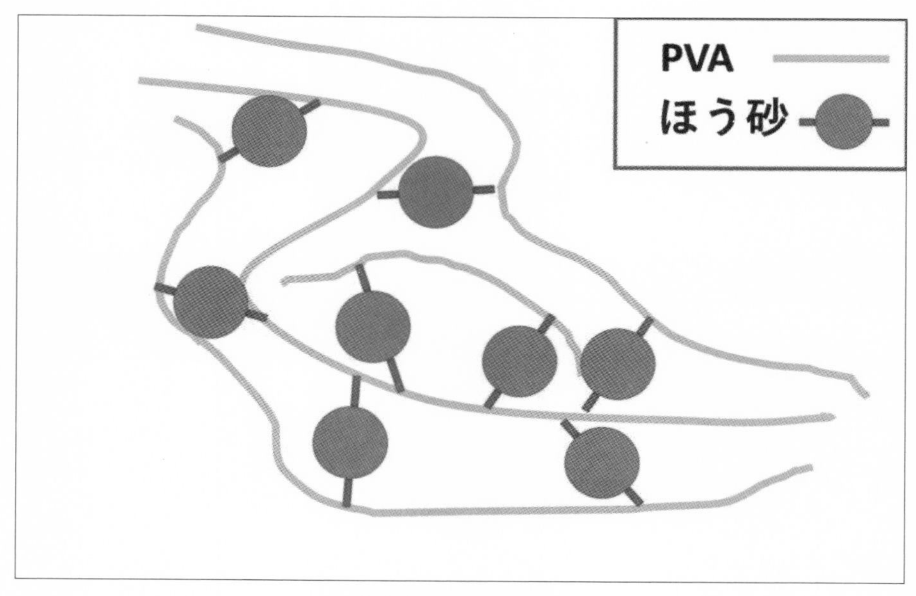

ほう砂がヒモとヒモをつなぐ

この網の目の間に水が蓄(たくわ)えられて、プニプニとした感触(かんしょく)になるのです。

この化学反応は「**架橋反応**」といい、さまざまなところで使われています。

どんなところで使われているのか、自由研究で調べてみてはいかがでしょうか？

第9章

ペットボトルの中で泳ぐタコを作る

水の中に浮かぶタコの模型(もけい)を、直接(ちょくせつ)手を触(ふ)れずに自由に浮(う)き沈(しず)みさせる魔法のような工作を作ってみましょう。

筆　者	ささぼう
記事URL	https://kagacraft.com/water-experiment/
記事名	【簡単工作】思い通りに動く！？ペットボトルを泳ぐタコをつくる

9-1 浮沈子のタコを作ろう！

本章で紹介するのは、自分で自由自在(じゆうじざい)に動かすことができる工作です。

それがこちら！

ペットボトルを泳ぐタコ

可愛いタコさんじゃないですか？

ペットボトルをぎゅっと握(にぎ)ると……？

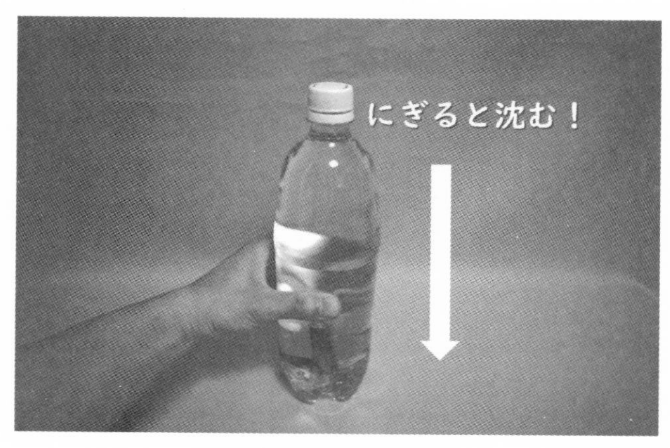

握るとタコが沈む

タコが沈(しず)みます！　では、手を離(はな)すと……？

離すと浮(う)かぶ

このように、タコがペットボトルの中を上下に行ったり来たりします。

慣(な)れてくると、真ん中あたりで止めることもできます。
力加減(ちからかげん)がすごく大事です！

真ん中あたりで止めることもできる

「**浮沈子**(ふちんし)」という昔からある科学おもちゃです。科学館では定番の工作です。

簡単に作れるのに、すごく不思議なこのおもちゃ、さっそく作ってみましょう!

9-2 用意するもの

材料

材料は４つだけです。

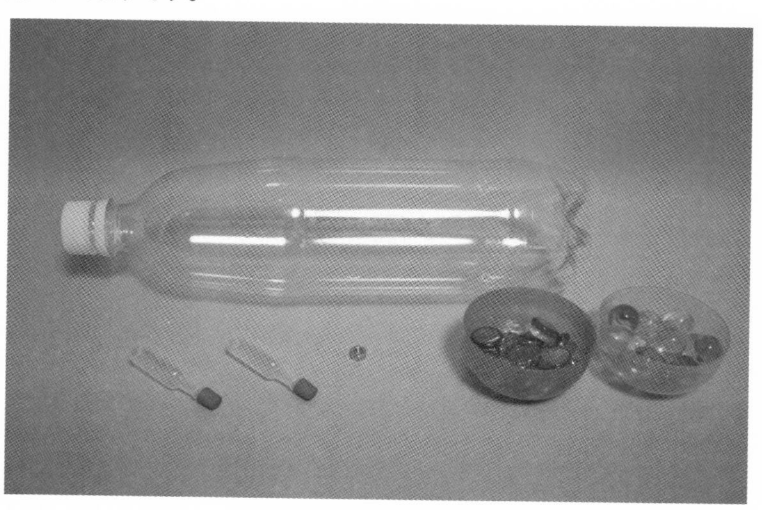

用意するもの

ペットボトル	1Lのものです。 500mLでも大丈夫ですが、炭酸(たんさん)用の丸いものを使いましょう。
タレビン	ここでは丸いものを２つ使います。100円ショップで買いました。
ナット	M5というサイズが、今回のタレビンにはちょうどよかったです。 どのサイズがいいか分からないときは、使うタレビンをホームセンターに持って行って、店員さんに相談してみてください。
ビー玉とおはじき	ペットボトルに入れる飾(かざ)りです。好きなものを使ってください。

特別な材料はありませんよね。

飾りはなくても大丈夫です。

道具

使う道具は以下です。

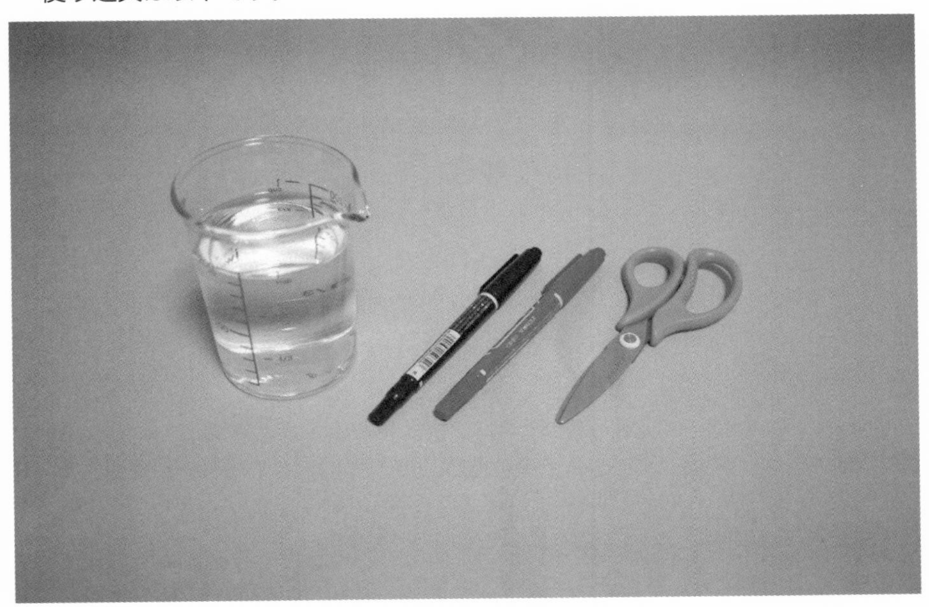

使用する道具

水	タコの調整のときに使います。
ペン	油性のものを使ってください。油性でないと色が落ちてしまいます。
ハサミ	使い慣(な)れたものを用意しましょう。

9-3 浮沈子の作り方

タコを作る

まずはタコを作りましょう。
使うのはタレビン2個。

タレビンでタコを作る

これらに油性ペンで色を塗(ぬ)ります。

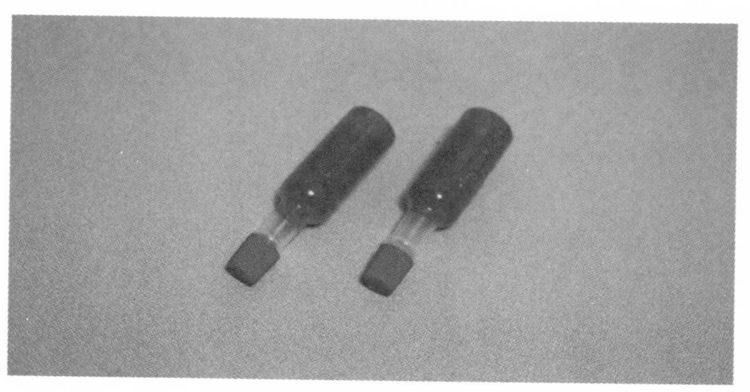

油性ペンで色を塗る

完全に乾くまで、なるべく触(さわ)らないようにしてください！
でないと手がベトベトになってしまいます。

タレビンの１つにナットを取りつけます。

ナットを取り付ける

そして、もう片方を使って、タコの足を作ります。
ハサミでいらない部分を切って、筒（つつ）にしてください。

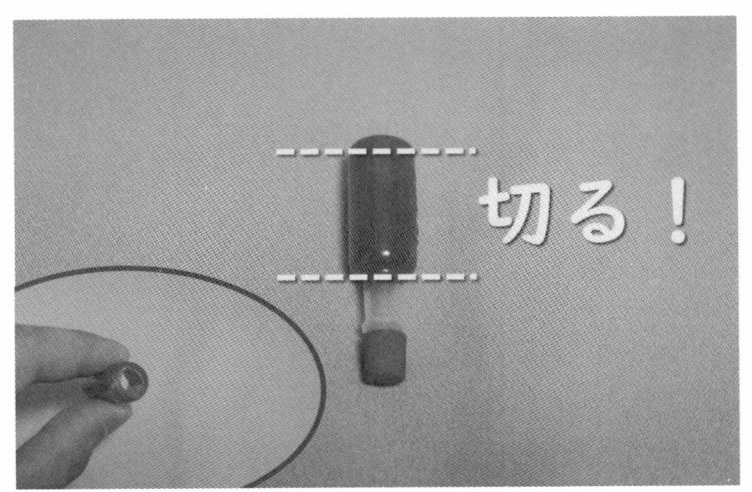

底と上部を切り落とす

これを8つに切って足にします。
ただ、こんな感じで完全には切らないようにしてくださいね。

一部だけ切り残して足にする

ナットを付けたタレビンに足を挿(さ)し込みます。

タレビンに足を挿し込む

足を軽く広げましょう。

足を軽く広げる

顔を描(か)いたら、タコの完成！

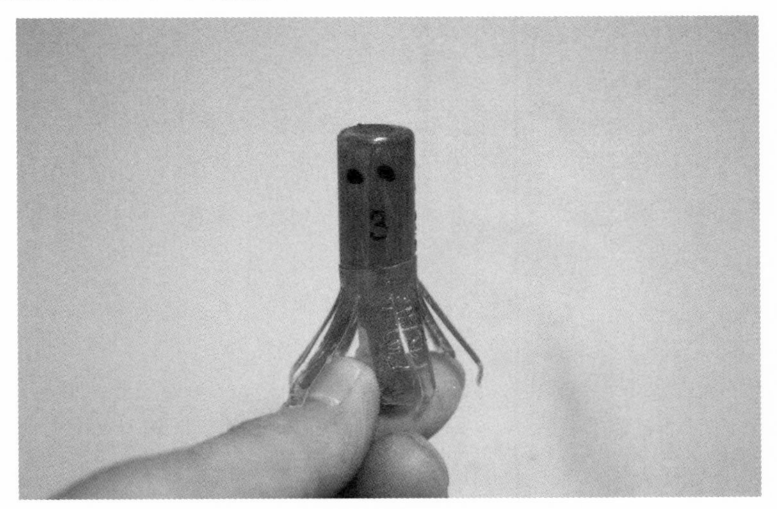

タコが完成した

タコを調整する

タコの中に水を入れます。このとき、水の量を調整(ちょうせい)しなくてはいけません。やり方を紹介します。

＊

まずは、多めにタコに水を吸わせます。

横から見て、8割くらいまで水が入っているようにしてください。

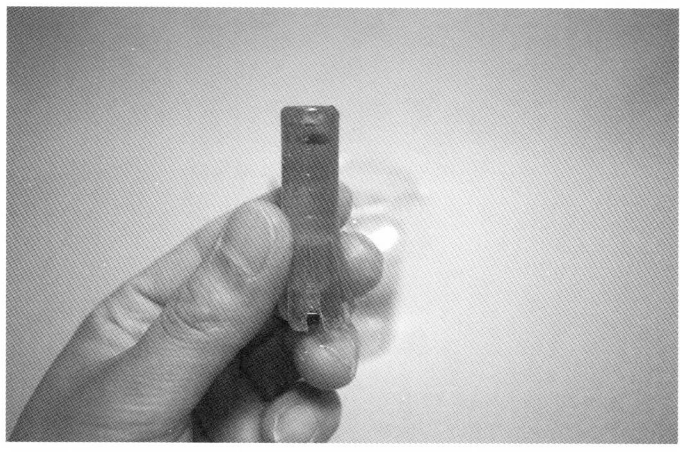

タコに8割くらいまで水を吸わせる

この状態だと、タコは水に浮(う)かぶことができず、沈(しず)んでしまいます。

このままではタコは浮かばない

ここから少しずつ水を抜いて、ギリギリ浮くように調節します

中の水を2～3滴(てき)ずつ出して、もう一度水に入れます。
これを繰り返してください。

そうやってこのように、なんとか浮いている状態になったら、タコの調整は完了です！

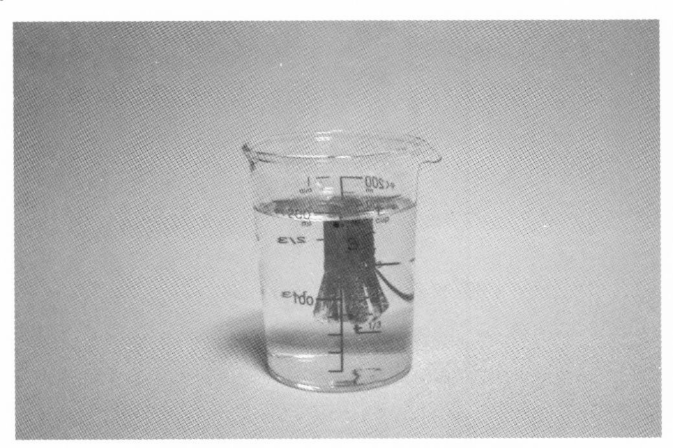

水を数滴ずつ出しながらギリギリ浮かぶ量を探る

ちょっと大変かもしれませんが、頑張(がんば)ってみましょう！

水槽を作って完成させる

作ったタコを泳がせる水槽（すいそう）はペットボトルです。

水を入れるだけでもいいのですが、ちょっと寂（さび）しいのでビー玉とおはじきを入れましょう。

ビー玉とおはじきで中身を飾る

ペットボトルの中を水でみたして、作ったタコを入れると……、これで完成！

浮沈子のタコが完成

もし握っても沈まないときは、少しだけタコの中に水を足してください。ピンセットがあると取り出しやすいです。

温度によってもこの加減は変わるので、調整しながら遊んでくださいね！

9-4 なぜタコが上下するのか？

ペットボトルを握(にぎ)って押すと、タコの中の空気が押されて小さくなります。

これは、**空気は縮(ちぢ)みやすいのに対して、水はほとんど縮まない**という性質をもっているからです。

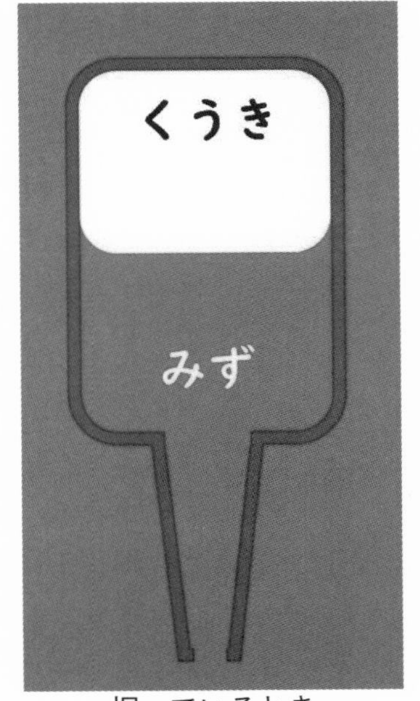

握っているとき

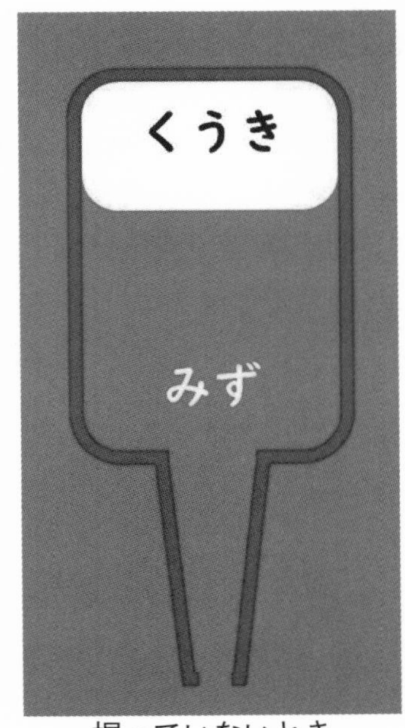

握っていないとき

ペットボトルを握るとタコの中の空気が縮む

空気が小さくなると「浮く力」（**浮力(ふりょく)**）も小さくなり、その結果、ナットの重さに耐えられずにタコは沈んでしまいます。

しかし、手を離すと空気はもとに戻るので、「浮く力」が大きくなり、タコが浮き上がるということなのです。

よく見てみると、ボトルを押したときにタコの中の空気が小さくなっているのが分かります。

簡単に作れるおもちゃですが、けっこう複雑な科学が隠されているのです！

＊

沈んだり浮いたりするタコの工作でしたが、いかがでしたか？

浮沈子はかなり昔からある科学おもちゃです。

僕が働いている科学館でも、よく子ども達に見せています。
みんなすごく驚いてくれますよ！

今回みたいに生き物みたいにしてもいいし、手品のようにして披露してもいいかもしれません。
ぜひ皆さんも作ってみてください！

第10章 水を使った不思議な実験

ここまで本書では科学の原理を利用した工作を紹介してきました。
最後は少し趣向を変えて、簡単にできる「実験」を３つ紹介しましょう。

筆　者	ささぼう
記事URL	https://kagacraft.com/water-experiment/
記事名	【親子で楽しもう！】超簡単！「水」を使った おもしろ実験（3選）

10-1 自宅で手軽にできる３つの実験

皆さんは「実験（じっけん）」は好きでしたか？

小学校の理科の時間、夏休み・冬休み中の自由研究、中学や高校の授業など、「やったことが１度もない」という人はいないのではないでしょうか。

僕は理科の実験が大好きでした！

ただ「実験」と聞くと、理科室で、大掛（おおが）かりな道具を使って、というようにハードルが高いと感じてしまうかもしれません。

ですが、そんなことはありません。

本章では、「水」を使った、お家でできる実験を３つ紹介します。

ぜひ親子で楽しんでください。

10-2
実験①：勝手に動くコショウ

水に浮かべたコショウにあることをすると……。
意外な動きでビックリしますよ！

用意するもの

実験の材料は、以下の通りです。

お　皿	今回は四角いものを使いましたが、何でも大丈夫です。
コショウ	細かいものがお勧めです。
食器用洗剤	これもなんでもOK。
水	水道水でOK。

用意するもの

実験方法

お皿に水を入れて、そこにコショウを振ります。
水面がさらっとコショウで覆われる程度でOKです。

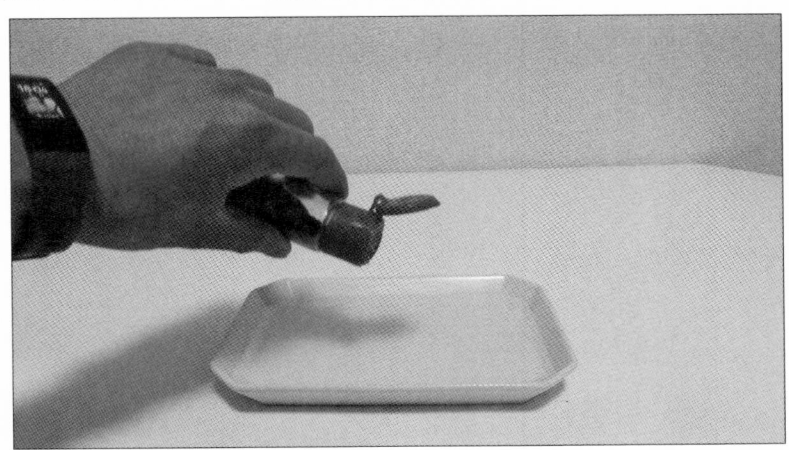

水面をコショウで覆う

次に、指にちょっとだけ洗剤を付けてください。

その指で、コショウの真ん中にそっと触れると……。

指に洗剤を付ける

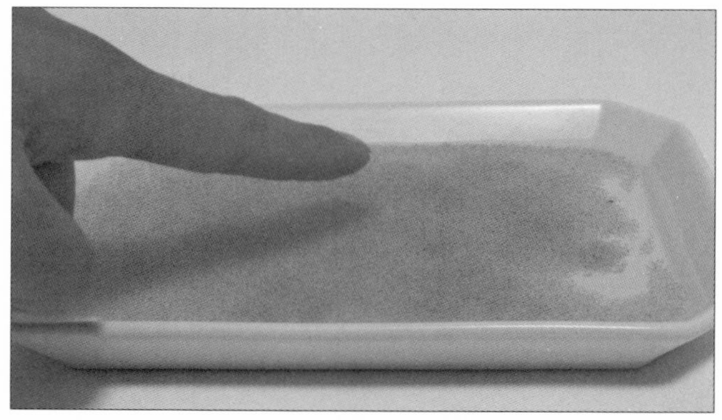

洗剤を付けた指で水面に触れると……

コショウが勝手に動く！？

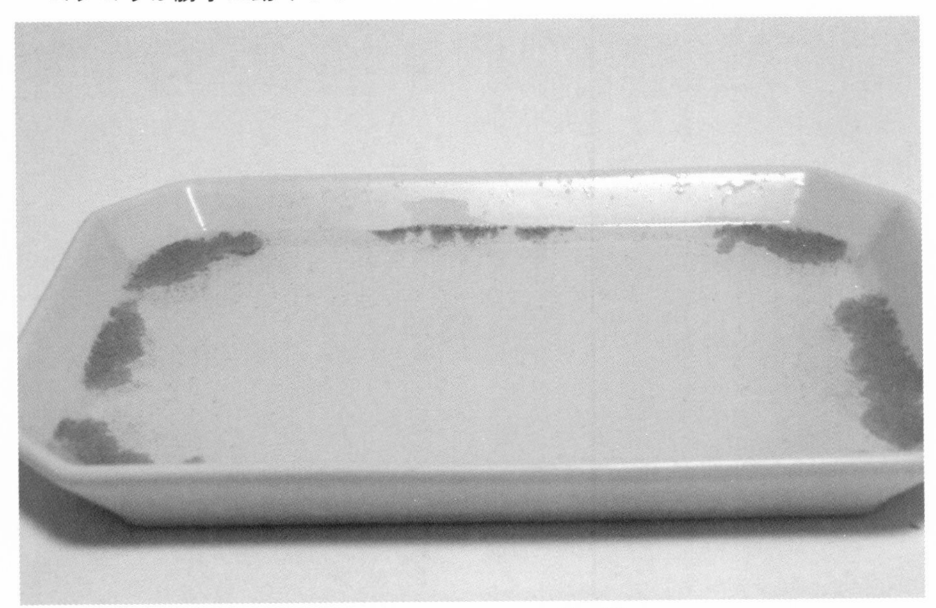

水面を覆っていたコショウが勝手にお皿の端に移動してしまった

初めて見ると、すごくビックリしますよ。

動画もどうぞ。

【おもしろ実験！】超能力!?怪現象!?
勝手に動くコショウ
https://youtube.com/shorts/tiPcUAFDAAo?si=9foAV1l3-u_C7HwG

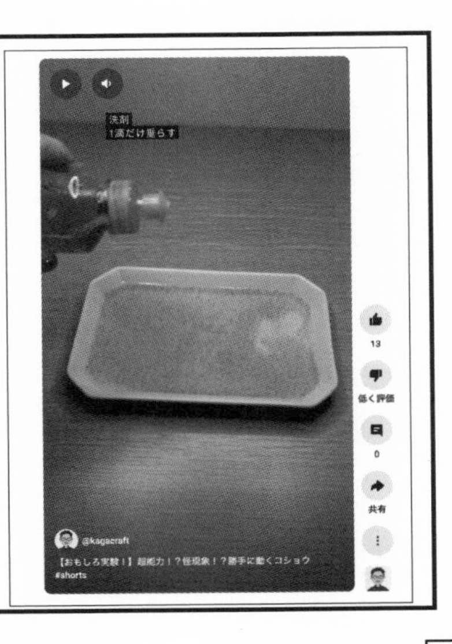

なぜコショウが勝手に動くのか？

水には「**表面張力**(ひょうめんちょうりょく)」という力があります。

広辞苑(こうじえん)では、「液体(えきたい)または固体(こたい)の表面(ひょうめん)が、自(みずか)ら収縮(しゅうしゅく)してできるだけ小さな面積をとろうとする力。表面に沿って働(はたら)く。界面張力(かいめんちょうりょく)」と説明されています。

要(よう)は、水同士が“ぎゅ～”っと縮こまって、**なるべく小さくなろうとする力**のことです。
水滴が丸くなるのは、この力のためです。

また、コップいっぱいに水を入れると、水面が盛り上がりますよね。
これも“表面張力”です。

そして食器用洗剤には、この表面張力を弱める力があります。

つまり、食器用洗剤がお皿中央の表面張力を弱めた結果、**お皿のふちの水の表面張力にコショウが引っ張られて動いた**ということなのです。

10-3
実験②:ビー玉は何個?

まずは、この動画をご覧ください。

【おもしろ実験!】コップの中にビー玉は何個?一瞬で数えられる!?身近なものでできる簡単実験。

https://youtube.com/shorts/bRJHpmCPfWg?si=qwxOEl2HL3Y3RpEV

空気中では、ジェルポリマーとビー玉の違いが分かりにくいですが、水中だとすぐに分かりますね。

用意するもの

この実験では、以下の材料を使います。

ジェルポリマー	100円均一のお店で売っています。 無色透明(むしょくとうめい)なものがいいですね。
ビー玉	無色透明なものを用意します。
透明なコップ	色が入っていないものがいいです。 使い捨てのプラコップでもOK。
水	水道水でOK。

実験方法

ジェルポリマーをコップに入れ、その中にビー玉を押し込みます。

ジェルポリマーの中にビー玉を押し込む

この状態だと、本当にポリマーとビー玉の区別がつかないですね。

あとはここに水を入れると……。

水を注ぐとビー玉が現(あら)われる

ビー玉出現!!

なぜビー玉が見えるようになるのか?

ジェルポリマーは、ほぼ「水」で出来ています。
なので、**水とジェルポリマーの間では光が直進**します。
その結果、僕たちにはジェルポリマーが見えにくくなるのです。

しかし、**ビー玉と水の間では光が屈折**するのでビー玉は見えます。

この2つの差によって、ビー玉が出現したように見えたわけです。

注意すること

実験が終わったジェルポリマーを**水道に流さない**ようにしましょう!
ジェルポリマーが水を吸って大きくなり、水道が詰まってしまうことがあります。

捨てる際は、乾燥(かんそう)させてから自治体の区分に従って捨ててください。

また、ジェルポリマーは**絶対に口に入れない**ようにしてください。

10-4 実験③：水中シャボン玉

コップの水の中に、シャボン玉を作ってみましょう！

用意するもの

用意するものは以下です。

透明なコップ	色が入っていないものがいいです。 使い捨てのプラコップでもOK。
食器用洗剤	なんでもOK。
水	水道水でOK。
ストロー	なんでもOK。

用意するもの

実験方法

水200ccに食器用洗剤を10滴ほど垂らし、「石けん水」を作ります。

石けん水を作る

これで準備完了です！

*

続いて、実験の操作です。

ストローの先を3cmほど、石けん水に入れます。

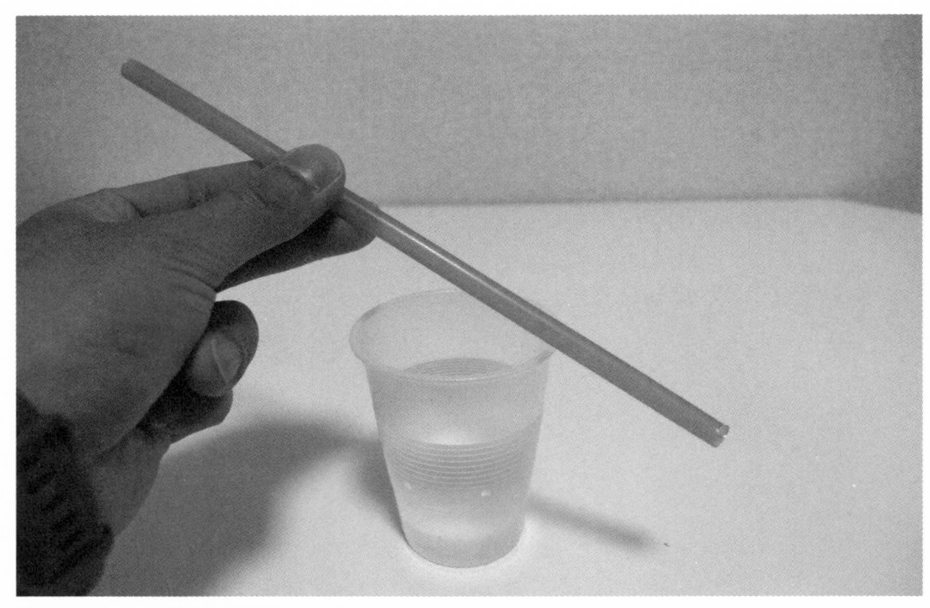

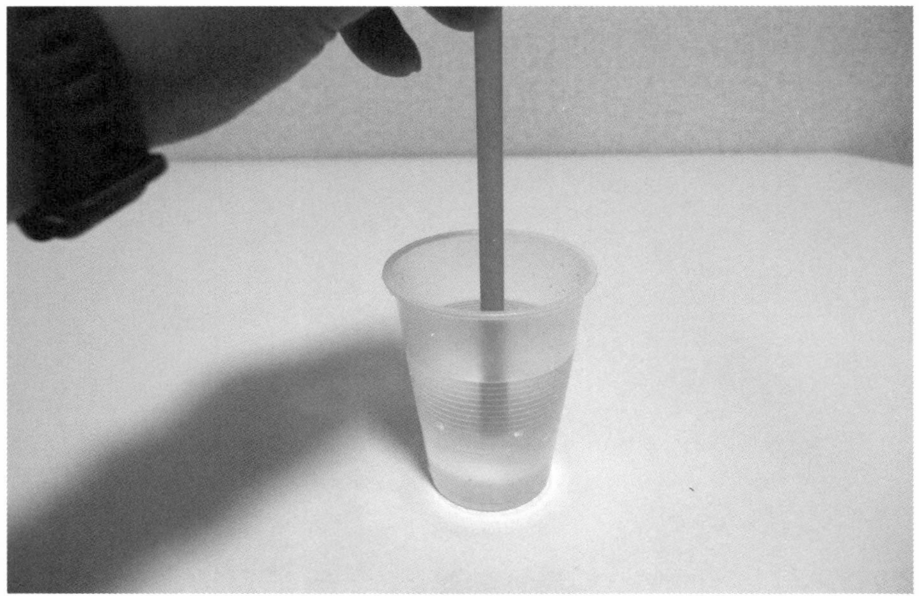

ストローの先端(せんたん)を水中に入れる

先を入れた状態でストローの上を塞ぐと、石けん水をストローの中に閉じ込めることができるので、そのまま水面から5mmほど上の場所から石けん水を落とします。

すると……、

石けん水を落とすと、水中にシャボン玉が出現

水中にシャボン玉が出来るんです！

少しコツが必要ですが、とても楽しいですよ。

動画で見ると、より分かりやすいかもしれません。

【おもしろ実験！】水中にシャボン玉！？食器用洗剤だけでできるかんたん実験
https://youtube.com/shorts/PGsABAhM05w?si=4Zbu-Birs-2S_uqa

なぜシャボン玉ができるのか？

食器用洗剤には、「**界面活性剤**（かいめんかっせいざい）」というものが入っています。

これは、「**水になじみ易**（やす）**い部分**」と、「**油になじみ易い部分**」をもっているのです。

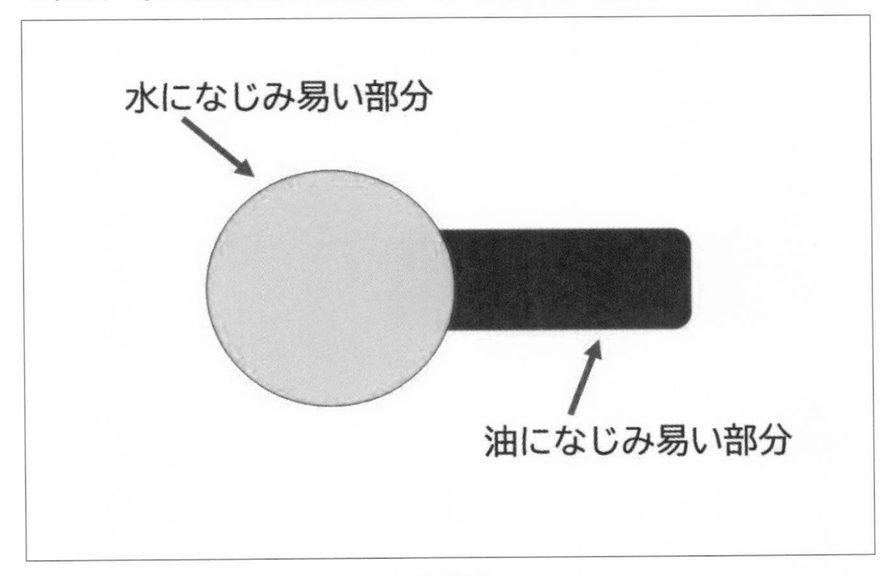

界面活性剤

石けん水の水面は、油になじみ易い部分が表面になっています。
そして、ストローから落ちた石けん水も同じようになっています。

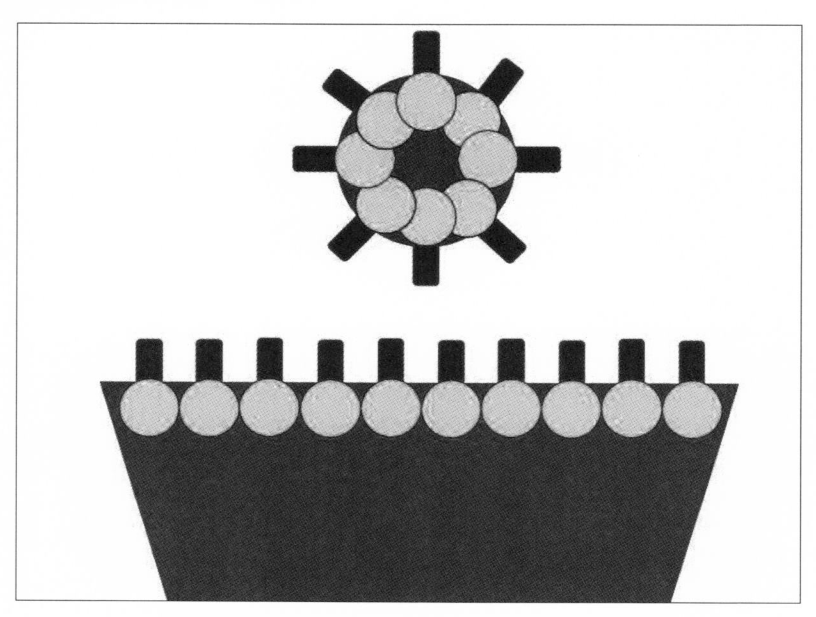

ストローから落ちた石けん水(上)も石けん水(下)も、
界面活性剤の油になじみ易い部分が表面に出ている

石けん水を水面に落とすと、油になじみ易い部分同士が向かい合っているので、瞬間(しゅんかん)的に水を弾(はじ)いて、水中に空気の膜(まく)が出来るというわけです。

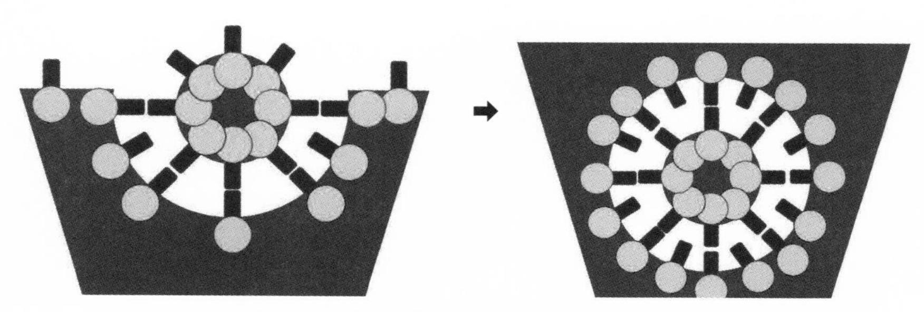

油になじみ易い部分が水を弾いて空気の膜を作る

10-5
自由研究にも！

本章の実験で使ったものは、「水」「食器用洗剤」「コショウ」と、どんな家庭にもあるものがほとんどです。

これらの実験を紹介しつつ、界面活性剤や表面張力について調べてまとめると、立派な自由研究になりますよ！

また、界面活性剤は汚れを落とす仕組みにもつながります。

＊

本来、「なんでだろう？」や「不思議だな？」を解決するための方法の１つが「実験」です。

子どものころからこれに親しんでハードルを下げておくと、理科の授業で実験を行なうときも、すんなりとはじめられるでしょう。

本屋さんに行くと、実験や工作の本もたくさん売っています。

それらを参考にしながら、興味に合わせて実験を楽しんでみてください。

ふろく

カッターを安全に使う5つのポイント

本書で紹介した工作に使う道具の中には危（あぶ）ないものも多いですが、その中でも「カッターナイフ」は使い方を間違えると特に危険です。

そこで付録（ふろく）では、カッターナイフの安全な使い方（使わせ方）を紹介します。

筆　者	ささぼう
記事URL	https://kagacraft.com/howtocutter/
記事名	【カッターの使い方】安全に使う５つのポイント！学芸員の視点から

1
危険（きけん）で便利（べんり）なカッターナイフ

工作をするとき、必要に応じていろいろな道具を使います。

その中で、子どもにいつごろから使わせたらいいか悩（なや）むのが、「**カッターナイフ**」ではないでしょうか？

カッターナイフは、ハサミと違（ちが）って大きなケガにつながりやすいものです。

かなり気を使いますよね……

僕も科学館（かがくかん）の企画（きかく）で子どもたちに使わ せたことがあるのですが、そのときはヒヤヒヤしっぱなしでした。

寿命（じゅみょう）が３年は縮（ちぢ）んだんじゃないかと思います。

ですが、カッターナイフが使えると、できることの幅（はば）が一気に広がります。

ここでは、僕が企画の際に気を付けた点を紹介します。

注意するポイントは５つです！

2 安全に使う５つのポイント

ポイント１　刃を出す量は最小限に！

刃がたくさん出ていると、同じ角度でも指や手が入る隙間が大きくなります。

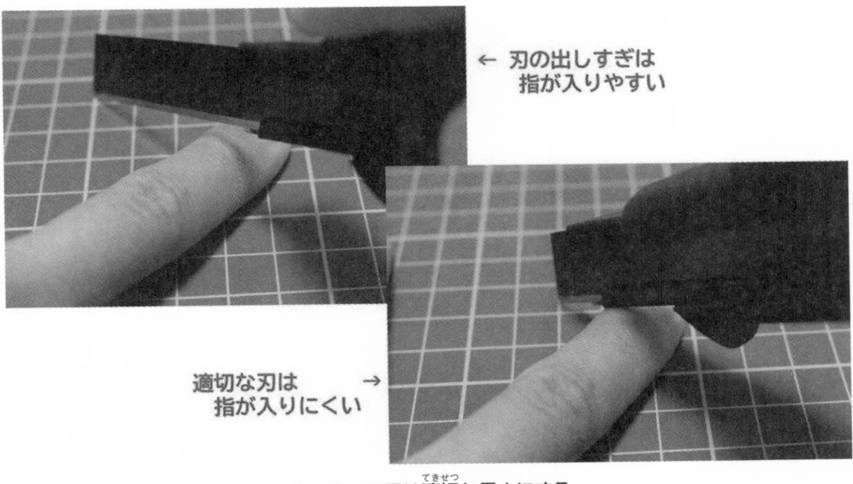

カッターの刃は適切な長さにする

紙を切る程度であれば、**カッターの刃１つ分くらいで充分**です！

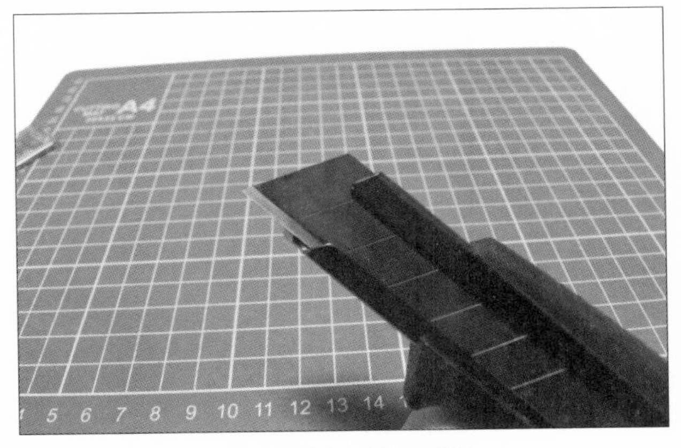

刃は１つ分出すくらいでOK

ポイント2　刃の前に手を出さない

当たり前ですが、**刃の前に指や手を置いてはいけません。**

工作中はしっかり押さえようとして、ついつい手が出てしまっていることがあります。

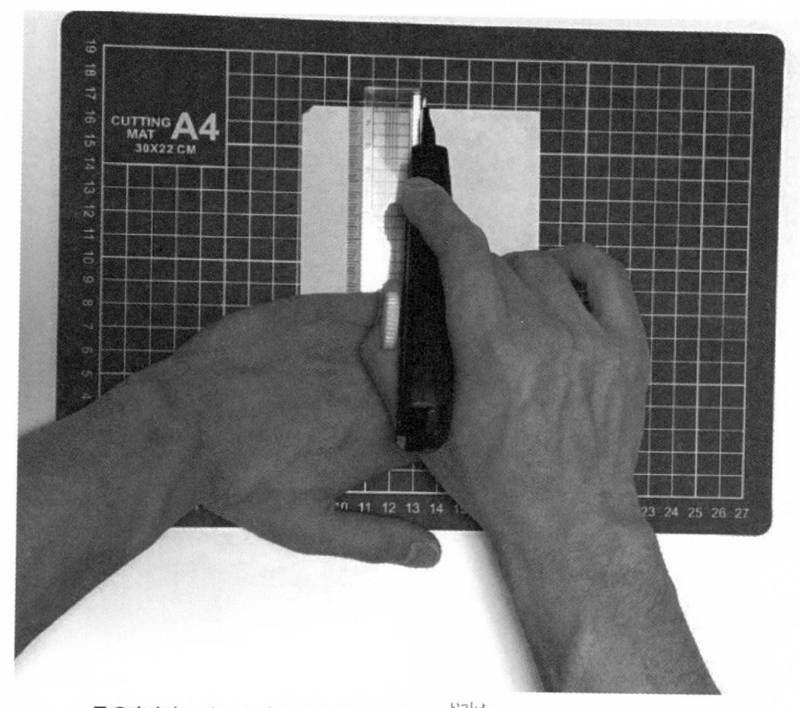

このままカッターに力を入れると、左手も一緒に切ってしまうかもしれない

ポイント3　カッターマット・定規とセットで使う

「カッターマット」や**「定規」とセットで使う**クセを最初からつけたほうがいいです。

特に**定規は、金属の部分を切りたいところに当てて使う**とより安全です。

プラスチックの部分だけだと、刃が滑って手に迫ってくることがあります。
また、より厚めの定規を使うとさらに安全でしょう。

道具選びも、安全のためには大切です。
保護者の方が気を付けてあげてください。

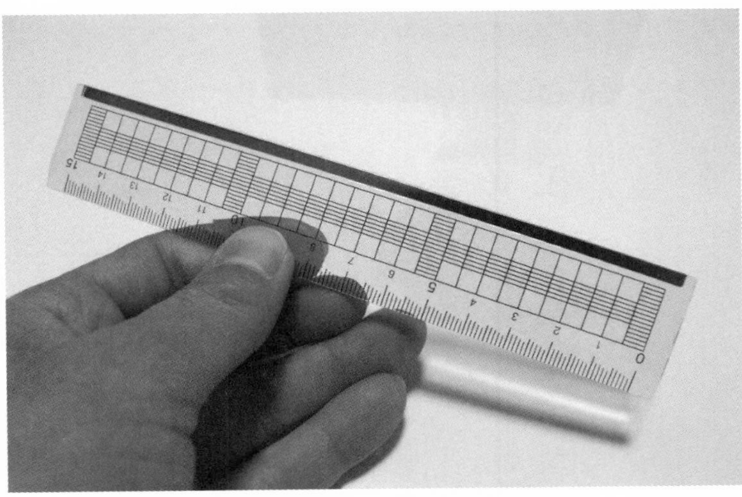

切りたいところを金属部分に当てる

ポイント4 一度に切ろうとしない

一度で切ろうとすると、無駄(むだ)な力がかかってしまい危険(きけん)です。

僕が指導するときは、「優(やさ)しい力で、1・2・3で切るようにしようね！」と言って、3回で切らせるようにしています。

厚紙になると3回でも切れないかもしれません。
あせらず、何回もチャレンジするようなクセを付けさせてあげられるといいですね。

ポイント5 刃はこまめに折る

切れない刃物ほど、危険なものはありません。
無理に切ろうとして余計な力が入ってしまいます。

保護者(ほごしゃ)の方がこまめに刃を折って、切れ味が悪くならないようにしてください。

3
上手く切れないときは

子どもにカッターナイフを安全に使ってもらうための、5つのポイントを解説しました。

低学年くらいの子に多いのですが、刃が見えないのが怖くてうまく切れない子がいます。

そんなときは、**切りたいラインを自分に対して斜めにする**と、刃を見ながら切ることができます。

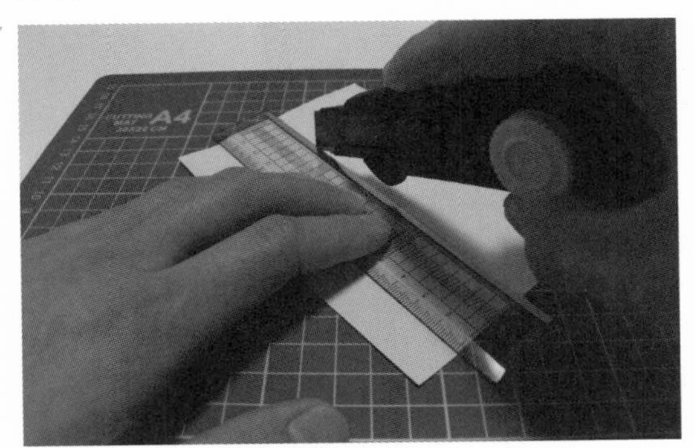

切りたいラインを自分に対して斜めに置く

これは僕が学芸員になるために博物館で実習をしていたときに、指導の先生に教えていただいたことです。

実際に企画の際に試してみたのですが、確かに効果ありでした。

上手く切れないようなときは、試してみてください。

ちなみに、大人でもこの切り方はすごく楽です！

ただし、プラスチックや段ボールを切るのには向いていないのでお気をつけて。

最近では子ども用のカッターナイフがあります。

カッターナイフデビューにはちょうどいいかもしれませんね。

通販サイトなどで買えるので、よかったら使ってみてください。

さくいん

数字・記号順

アルファベット順

《C》

《L》

《P》

五十音順

《あ行》

《か行》

《さ行》

《著者略歴》

ささぼう

東北生まれ。
大学卒業後、地元の科学館に学芸員として就職。
工作教室やサイエンスショーの企画を多数手がける。
2021年11月、科学工作・科学あそびを紹介するブログ「かがくらふと」を開設。
2023年2月、同名YouTubeチャンネル「かがくらふと」を開設。
科学をあそびとして発信する活動を行なっている。

本書の内容に関するご質問は、
①返信用の切手を同封した手紙
②往復はがき
③E-MAIL　editors@kohgakusha.co.jp
のいずれかで、工学社編集部あてにお願いします。
なお、電話によるお問い合わせはご遠慮ください。

サポートページは下記にあります。

[工学社サイト]
http://www.kohgakusha.co.jp/

I/O BOOKS

子どもと作る科学工作

宙に浮くディスプレイスタンド、100均材料で作るバスボム、ステンドグラス風オブジェ……

2024年 6 月25日　初版発行　ⓒ2024

著　者　ささぼう
発行人　星　正明
発行所　株式会社工学社
〒160-0011　東京都新宿区若葉1-6-2 あかつきビル201
電話　(03)5269-2041(代)[営業]
(03)5269-6041(代)[編集]
振替口座　00150-6-22510

※定価はカバーに表示してあります。

印刷:(株)エーヴィスシステムズ

ISBN978-4-7775-2277-4